人間の土地へ

小松由佳

集英社インターナショナル

世界第2位の高峰、K2（標高8611m）の山頂を目指し、7900mのキャンプ3を出発。
8100m地点より後方を振り返る。全ての山々が眼下に広がる。

標高7200mのキャンプ2でテントを撤収する。足元は断崖絶壁だ。
平均斜度45度のK2ではキャンプ地が限られる。過去の登山隊が残したゴミを積んで平地を作り、テントを設営した。

ベースキャンプまでの荷運びを担うポーターたちに歌を教えてもらう。みんな陽気で純朴。
一日の仕事が終わると、ポリタンクを太鼓にリズムを奏で、歌い、踊った。

2006年8月1日、非情の頂、標高8611mのK2山頂に到達。宇宙のような黒い空と、丸い地球を眺めた。
登頂の喜びも束の間、危険な下山が始まる。生きて還る、そう自分に言い聞かせた。

8月4日深夜、アタックを終えた私と青木は、ベースキャンプ（5200m）に帰還した。
仲間たちと固い握手と抱擁を交わし、安全な場所に生きて還ってきた実感をかみしめた。

沙漠でラクダの放牧中、メッカに向かってイスラムの祈りを捧げる。
ラクダは草を求めて移動し続け、男たちは後ろから群れを見守る。2009年、パルミラ郊外の沙漠にて。

日暮れ時、涼しい中庭でくつろぐアブドュルラティーフ一家。左端が父親ガーセム。最後列がラドワン。
女たちは撮影されるのを嫌がり、その場から逃走した。2009年。

ラクダを放牧するラドワン。お気に入りのラクダと。彼は家族が所有する100頭近いラクダの全てを識別できた。
この世で一番好きなものは「ラクダ」とのこと。2010年。

沙漠での昼食中、取っ組み合いの喧嘩をし、顔に豆のディップを付け合ってじゃれる男たち。
ユーモアを愛し、暇さえあれば冗談を言って笑い合う、幸せなひとときがあった。右端がサーメル。2009年。

シリア中部のオアシス都市、パルミラの郊外に残る世界遺産パルミラ遺跡。
紀元前1世紀から3世紀にかけ、東西を結ぶ交易路の中継点として栄えた。2008年。

2012年4月、借家の屋上からダマスカス中心部で起きた爆発現場を眺める。
シリアの首都ダマスカスでは2011年以降、民主化デモやその弾圧、爆発や銃撃戦が相次いでいた。

2013年5月、ヨルダン北部のザータリ難民キャンプにて。シリアから避難して間もない多くの難民が暮らしていた。
ここで安全を手にしても、"生きる意義" を求め、再びシリアに帰る難民も多かった。

トルコ南部、シリアとの国境の街レイハンルに暮らすシリア難民の子供たち。
子供たちは、シリアとトルコ、二つの故郷を抱いて成長している。右端に、当時2歳の私の息子サーメルも一緒だ。

2017年春、東京都八王子市の桜並木を歩くラドワンとサーメル。ラドワンたっての願いで、2012年に
行方不明となったサーメル兄の名を息子につけた。帰ることのできない故郷の記憶を子供たちに語り継ぐ。

人間の土地へ

人間に恐ろしいのは未知の事柄だけだ。
だが未知も、それに向って挑みかかる者にとってはすでに未知ではない、
ことに人が未知をかくも聡明な慎重さで観察する場合なおのこと。

サン＝テグジュペリ『人間の土地』（堀口大學 訳　新潮文庫）

プロローグ　二〇〇六年八月

　足元に丸い地球が広がっていた。すぐそこに、宇宙のような黒い空がある。中国・パキスタン国境に位置する世界第二の高峰K2。その標高八六一一メートルの頂に、私とパートナーの青木達哉は立っていた。

「ついにK2の山頂に立ちました。私たちは二人とも元気です」。無線機を手に、五二〇〇メートルのベースキャンプで動向を見守る仲間に登頂を知らせた。この瞬間、私は日本人女性初のK2登頂を、山岳部の後輩である青木は、二一歳での世界最年少登頂の記録を打ち立てた。まるで夢を見ているかのようだった。

　登頂の歓喜と感動が胸に押し寄せる一方で、次第に不安と緊張感が湧き上がっていた。山頂はゴールではない。あくまで折り返し地点なのだ。登りで体力を消耗しているため、下りはよりリスクが高く、これまでもK2登頂者の多くが下山時に命を落としていた。加えて、私たちは登頂に時間がかかりすぎていた。本来なら午後三時までには登頂を諦め、キャンプ3へと引き返さなければいけなかった。しかし、あと少しで山頂に到達できるという誘惑に負け、危険を覚悟しながらも突き進んだのだ。結果、午後四時五〇分になんとか登頂を果たしたものの、下降に大きなリスクを伴う状況だった。夜が来るまであと三時間。キャンプ3から吸い続けてきた酸素ボンベも最後まで持たないだろう。そのとき私たちに何が起こるのだろう。

Ｋ２は世界の八〇〇〇メートル峰十四座の中でも登頂率は格段に低い山だ。二〇〇六年の時点で、登頂者数の二五パーセント、四人に一人が命を落とし、「非情の頂」と呼ばれてきた。

私は、もう二度と見ることはないだろう、山頂からの眺めを目に焼き付けた。足元には冷え切った氷の斜面が、三〇〇〇メートル下の谷底に吸い込まれるように切れ落ちていた。底は暗く遠く、果てしない。これから、この先へと下りていかなければならない。

生きて還れるだろうか。いや、必ず生きて還る。ともすれば不安に襲われる自分に言い聞かせた。〝生きて還る〟、それが全てだった。

一歩、また一歩。私たちは足を踏み出した。

目次

プロローグ……004

地図……010

主な登場人物……013

第一章　二〇〇六年　非情の頂、K2からの帰還……015

K2へ

八二〇〇メートルのビバーク

幸運の山

第二章　沙漠のオアシス　パルミラ……031

垂直の分岐　シスパーレ

アブドゥルラティーフ一家

ガーセムとサーミヤ
ラクダの放牧とラーハ
鳩捕りとソフィアン
女たちの世界

第三章 混沌のシリア …… 071

パルミラ　最後の日々
内戦の始まり
ダマスカス　混沌の兆し
サーメル兄の逮捕
モダール事件（一）見えざる侵入者
モダール事件（二）不可解な真実
越えられなかった国境と老夫婦
キリスト教地区での休日と噂の上官
カシオン山
静寂のパルミラ遺跡
ダマスカス　秘密警察との攻防

第四章　難民の多様を生きる……141
安全への逃避行
異国での漂流
再会と誓い
改宗と結婚
ジャマール兄の沙漠の孤独
ザータリ難民キャンプ

第五章　日本、目に見えぬ壁……171
試練の日々
共生への道
ラドワンの帰還とＩＳのパルミラ占領
両親との確執

第六章　平和を待つ人々……197
国境の街レイハンル
コーラル・アフマッド

第七章　難民の土地 …… 207
破壊された故郷パルミラ
戻らなかったもう一人のラドワン
流転の果てに
沙漠に木を植える
異国に生きる

終章　夜の光 …… 227
それぞれのシリア内戦
内戦が問うもの
人間の土地

あとがき …… 248

参考文献 …… 253

キルギス
タジキスタン
中華人民共和国
アフガニスタン
シスパーレ
K2
ジャンムーカシミール
イスラマバード
ラホール
パキスタン
インド
ネパール
ニューデリー
0 100 200km

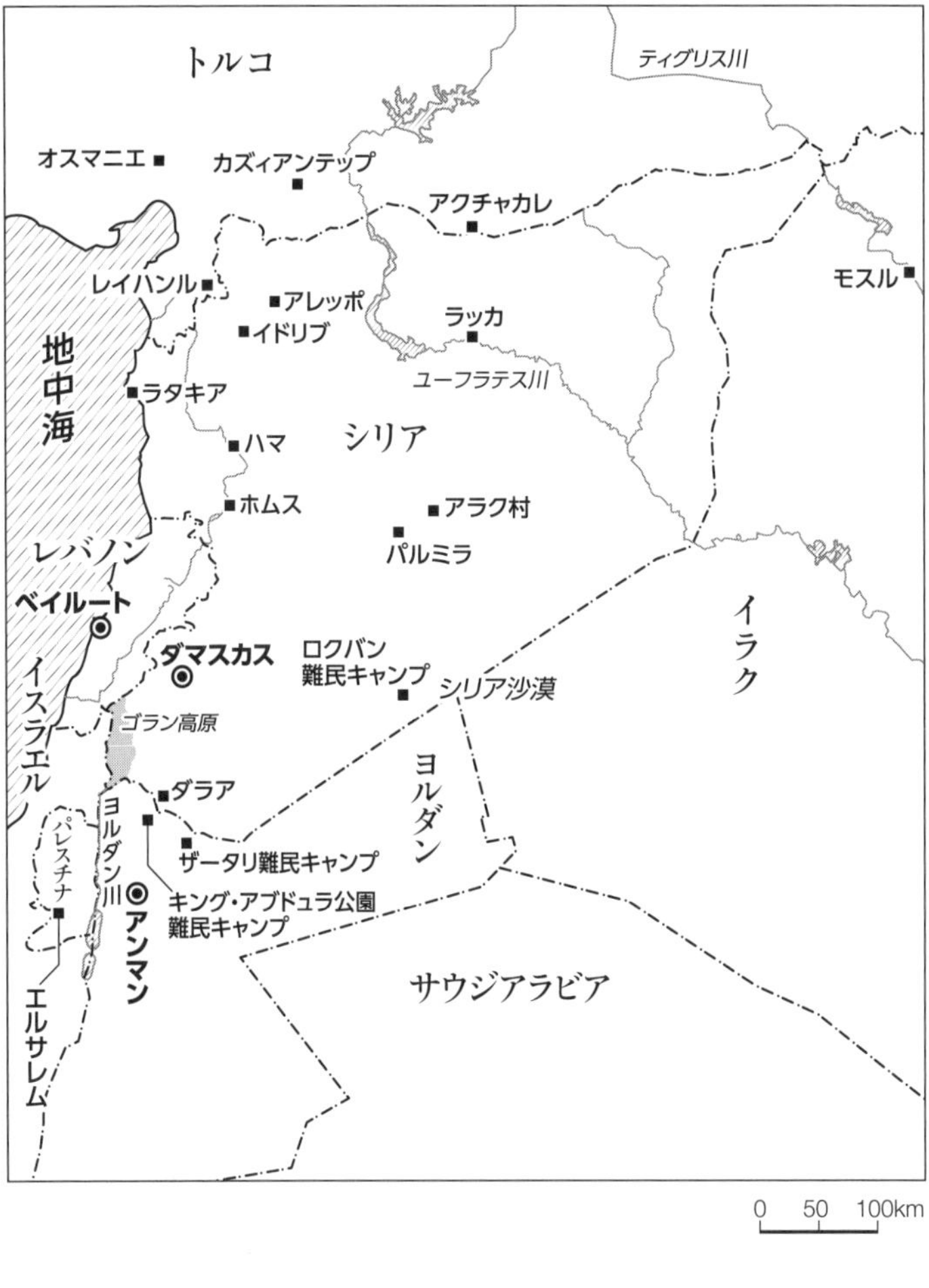
トルコ
ティグリス川
オスマニエ
カズィアンテップ
アクチャカレ
モスル
レイハンル
アレッポ
イドリブ
ラッカ
地中海
ラタキア
ユーフラテス川
ハマ
シリア
ホムス
アラク村
パルミラ
レバノン
ベイルート
イラク
ダマスカス
ロクバン
難民キャンプ
シリア沙漠
イスラエル
ゴラン高原
ヨルダン
ダラア
ヨルダン川
パレスチナ
ザータリ難民キャンプ
キング・アブドュラ公園
難民キャンプ
アンマン
エルサレム
サウジアラビア
0 50 100km

［主な登場人物］

アブドゥルラティーフ一家

ガーセム ― サーミヤ

（子）女 ― 男
　（子）女／女／ムハンマド／女／ラドワン・ガッセン（行方不明）／女
女
ムハンマド（長男） ― フォーザ
女
男
男
男
アーメル（五男） ― アリア（ベドウィン出身）
サーメル（六男・行方不明）
男
アブデュッサラーム（八男）
ジャマール（九男）
男
バーセル（十一男）
女
ラドワン（十二男）

その他

ソフィアン
（アブドゥルラティーフ一家の兄弟と幼なじみ）

アフマッド
（弁護士）

モダール
（ダマスカスの借家の大家）

サアド
（アブドゥルラティーフ一家の兄弟と幼なじみ）

ヴァレリー
（ベラルーシ人の技術者）

ワッダーハ
（イスラム教の宗教指導者）

フセイン一家
（二〇一三年、ザータリ難民キャンプ在住）

コーラル・アフマッド
（内戦により障がいを負う）

マフムード
（アブドゥルラティーフ一家の兄弟と従兄弟。政府軍兵士）

装幀　水戸部 功＋北村陽香
地図制作　タナカデザイン
写真　小松由佳
口絵1～3頁　東海大学K2登山隊

第一章

二〇〇六年 非情の頂、K2からの帰還

K2へ

標高八六一一メートル。ピラミッド状の急峻な山容を誇るK2は、どこから登っても平均傾斜が四五度以上ある。標高が高いがゆえの酸素の薄さ、風が吹くだけで落石が降り注ぐ岩のもろさなど、多くの要素があいまって「世界で最も困難な山」と称される。

一九五四年にイタリア隊が初登頂をなしとげて以来、二〇一九年までで登頂者数は五〇〇人に満たない。世界最高峰エベレストの累計登頂者数一万人超と比較しても登頂率の低さは際立っている。特にK2の女性登頂者は少なく、二〇〇六年六月時点でわずか六人。そのうち三人が下山中に遭難死した。

そのK2に足を踏み入れたきっかけは、二〇〇五年の夏、母校の東海大学山岳部の監督からの一言だった。「K2へ行かないか」。山岳部の五〇周年記念事業として、K2登山隊をOBを主体に組織するという。

高校時代から登山に魅せられていた私は、いつしか神々しいヒマラヤの山々に憧れるようになった。大学時代は登山漬けの生活で、登山家・冒険家として知られる植村直己氏の著書のごとく、まさに「青春を山に賭けて」といった日々だった。多い年には年間二〇〇日近く山に入り、四季を通じてオールラウンドな登山を行った。特に雪や岩、氷の登攀《とうはん》訓練には力を入れ、冬の北アルプスや富士山などにも足繁く通った。精神的にも過酷だった日々の訓練に耐えられたのは、いつかヒマラヤに登りたいという夢があったからだった。

卒業後の二〇〇五年、大きなチャンスを手にした。日本と中国の女性登山家からなる合同隊の一員として、チョモランマ（エベレストのチベット側からの呼称）遠征に参加することになったのだ。しかし登山が始まってみると、私は高所順応の遅れから登山の主力メンバーから外され、誰がいつアタックを敢行するのかという、隊員にとって知らされて当然の情報すら知ることのできない蚊帳《かや》の外に置かれることになった。結局、登頂はおろか、登山靴を履く機会さえもなく登山が終わり、隊への信頼関係も崩壊した。あとに残ったのは空虚でやり場のない思いだった。そのやり切れなさは登頂できなかったことではなく、目標に向かって精一杯努力し、進むという、登山に必須な過程がなかったことから生じていた。登山とは登頂の可否以上に、その過程にこそ本質があり、誰とどのように、何のためにその山を目指すのかが肝心なのだと学んだ苦い経験となった。

K2登山の話があったのはその直後のことだ。私は興奮した。登山一色の生活を送り、ヒマラヤに魅せられていた私には、K2に特別な思いがあったからだ。しかし、「世界で最も困難な山」として名を轟かせるこの山に、果たして自分の実力が通用するのだろうか。

大いに悩んだが、それは千載一遇のチャンスだった。私はチャンスには二種類あると考えている。自ら生み出すことのできるチャンスと、偶然の巡り合わせによって与えられるチャンスだ。後者は、機を逃したら二度と巡ってこないだろう。そう考えると、自然と心は決まった。K2に登るのだ、と。やがてその大いなる目標が、チョモランマでの挫折を踏み越える力となっていった。それから一年が経った二〇〇六年八月一日、私と東海大学山岳部の後輩の青木達哉は、K2の山頂に到達した。

八二〇〇メートルのビバーク

底のない穴のように闇が広がる雪面。そこに微かな靴跡が続いている。私と青木は、ヘッドランプのわずかな光を頼りに、自分たちが登りで残した足跡をたどっていた。それらは風雪に消えては現れながら私たちを導いた。その凹凸が、キャンプ3と私たちを結ぶ希望だった。

ヘッドランプの光が暗闇に怪しく浮かび上がるのを追ううち、次第に耐えがたい疲労と眠気に襲われた。私は目を開いたまま夢を見ていた。ふわふわと暗い深海の底を浮遊しているようだ。このときの私の思いはただひとつ、生きて還ることだけだった。共に下降を続ける青木とは、互いに口にこそ出さないが、どちらかが滑ったら一巻の終わりだという了解があった。そのため速度は落ちても、確実に下りることに専心した。ベースキャンプとは、山頂での交信を最後に連絡がとれないままだ。山の裏側に入ったためか電波が届かなかったのだ。仲間が心配しているだろうと気になったが、無線が通じない以上、私たちにできることはとにかく安全に下り続けることしかない。

風のない穏やかな夜だ。静まりかえった白い世界にあるのは、私たちの足音と吐息だけだった。見上げれば、ビー玉を散らしたような星空がすぐそこにある。ひとつひとつの星が玉のように大きい。

標高八二〇〇メートル地点。時計の針はすでに午前一時を指し、日付は八月二日に変わっていた。目的地であるキャンプ3までは、残すところ高度にして三〇〇メートル。しかしここでついに恐れていた事態が起こった。キャンプ3からの登りで使用していた酸素ボンベの残量がゼロになったのだ。キャンプ3を出発してからすでに二二時間近く歩き続けており、肉体的にも精神的にも限界に近づいていた。疲労は判断力の低下を招き、幻覚を見せ、睡魔となって押し寄せた。

岩陰で休憩し、空になった酸素ボンベをザックに入れようとしたときのことだった。ボンベがスルリと手袋の上を滑り、コロコロと雪の斜面を転がり落ちた。瞬く間に加速し、視界から消える。まさに一瞬だった。私たちは呆然とそれを眺めた。足を滑らせたなら、自分たちにも同じことが起こるだろう。

私たちは重大な選択を迫られた。キャンプ3まで下降を続け、少しでも高度を下げるか。それとも八二〇〇メートルのこの地点でビバークをして仮眠し、朝を待ってキャンプ3へ下降するか。どちらをとっても滑落や疲労凍死の危険があり、生死を賭した選択だった。

このとき私たちの身体に、すでに思わしくない出来事が起こり始めていた。通常は考えられない場所でロープが引っかかる。電池切れのヘッドランプの電池を入れ替えるが、なぜか点灯しない。思い返しても不可思議な出来事が続いた。そのとき頭に浮かんだのは、〝遭難事故はたったひとつの要因だけでは起こらない〟ということだ。大きな遭難事故の前には、大体において予兆のような小さな不協和音がある。そうしたささいな要因がいくつか重なり、状況がもはや後戻りを許さなくなった結果、致命的な事故へとつながる。そんな教訓が頭に浮かんだ。そして自分たちが今まさに、その小さな予兆を経験しつつあることを直感的に感じ取っていた。ならば、その流れを断ち切らなければいけない。私たちはビバークを決めた。

八二〇〇メートルの氷の斜面にロープで身体を固定し、二人がかろうじて座れる場所を削る。ザックにつけた温度計はマイナス一〇度を指している。ザックからビニール袋まで、防寒になるものをありったけ身につけ、寒さに備えた。「寝たらそのまま死にませんよね」。不安げに尋ねる青木に「大丈夫」と声をかけ、安心させる。自分自身に向けた言葉でもあった。アタック隊のリーダーとして、後輩に不安な表情を見せるわけにはいかない。彼の命を預かっている責任も感じていた。実際、私たちは生と死の分岐点に身を置こうとしていた。しかし、こんなに切迫した瞬間でも、見上げれば星空が美しく、その美しさに感動できる心が残っていた。ベースキャンプとはいまだ交信ができず、仲間がどんなに心配しているかが気がかりだったが、押し寄せる睡魔に私たちの意識は静かに遠のいていった。死と隣り合わせの状況にもかかわらず、その感覚は不思議と安らかだった。

息が苦しい。寒い。ハア、ハア、ハア。荒い息づかいが聞こえ目が覚めた。その声が自分の呼吸音であることに気づく。目覚めると、私は隣の青木の肩をたたき、「生きてる？」と確かめた。そして彼が「生きてます」と答えると、再び安心して目を閉じた。息苦しく寒いが、それ以上に眠かった。何度となく、目覚めては隣の青木を起こして生存を確認し、また眠った。このとき青木がもし死んでいたなら私もそのまま死んだだろう。とにかく隣に生きた人間がいることになんとも言えない安堵感があった。

どれだけ時間が経ったのだろう。頬に何かが触れて目が覚めた。覚醒し始めた意識の奥で、私は自分が死んだのかもしれないとうっすら考えていた。そしておそるおそる目を開いた。視界に、紫色の雲海が広がっていた。そのはるか彼方に球のようなものが光っている。煌々《こうこう》と光を伸ばし、私たちが座る山肌を照らすもの——太陽だ。頬に触れたのは、その光だった。呆然と見つめているうち、世界は光で満たされていった。それは強烈な美しさで、思わず涙が流れた。「立ちなさい」「生きて還りなさい」。太陽がそうささやき、導いているかに思えた。私たちは太陽に背を押されるように立ち上がった。

やがて下方に懐かしい黄色のテントが見えた。七九〇〇メートルに残してきたキャンプ3だ。もう目と鼻の先に見えたが、最後の数百メートルが実に遠い。

ヒマラヤの八〇〇〇メートルから上の高度は〝デスゾーン（死の地帯）〟と呼ばれ、酸素量は地上の三分の一だ。三〇時間近いデスゾーンでの行動、そして無酸素のビバークは、私たちの体力を着実に奪っていた。重い身体を引きずるように、私たちはキャンプ3へと下降を続けた。

途中、〝ボトルネック〟として知られる巨大な氷塔が崩壊し、私たちのすぐ傍を大小様々な氷の断片がものすごい速さで転がり落ちていった。ちょうど休憩中のことだ。私はあろうことか疲労のため半ばうたた寝をしており、氷の塊が真横を落ちてゆくのを見たが、さほど驚かなかった。高所の魔力といおうか、低酸素状態が続いたため、リスクへの判断能力が奪われていたのだ。

ついにキャンプ3にたどり着いたのは昼過ぎ、一二時三〇分のことだ。到着するなり、まず無線機でベースキャンプへ呼びかけた。山頂での交信を最後に、二〇時間近く交信が途絶えたままだった。ベースキャンプではすでに最悪のケースまで想定しているだろう。一秒でも早く無事を伝えなければ。

しかし何度呼びかけても雑音が聞こえるばかりで応答がなかった。状況は変わらないかに思えたが、もしかすると受信できているかもしれないと考え、一方的に状況を話し続けることにした。ビバークをしてキャンプ3に帰り着いたこと、私も青木も無事であること。無線機から聞こえてくるのはザーザーという長い雑音だけだった。やはり応答はないのか。無線機の電源を切ろうとしたときだった。

「キコエ……コマ……、コマツサン、キコエマスカ……」。雑音の合間に、確かに人間の声が聞こえた。間違いない、ベースキャンプの仲間だ。こちらからの呼びかけを受信したに違いない。仲間たちは、早口で何度も私たちの名を呼んでいた。〝やっと無事を伝えられる〟その安堵感に身体の力が抜けていった。その感極まった声から、彼らが泣いているのがわかった。連絡がとれなかった間、彼らはどんな気持ちで夜を過ごしただろう。それを考えるとただただ申し訳なく、同時にこうした仲間がいる幸せを噛みしめた。

後で聞くところによると、ビバークの一夜、ベースキャンプではアタック隊の生存をひたすら祈っていたそうだ。しかし翌朝になっても連絡がとれず、次第に遭難の可能性が現実味を帯びてきた。留守本部である大学には遭難対策本部が設置され、小松・青木の両家族にも、不確実だと前置きしながらも遭難の可能性が伝えられた。ベースキャンプは一転して重苦しい雰囲気に包まれ、事態は刻一刻と深刻さを増していった。私たちからの無事を知らせる無線交信が入ったのはそんなときだった。隊員たちは突然の交信に耳を疑い、驚きの声をあげてテントの外に飛び出したという。そして肉眼では確認できないものの、二人がいるであろうキャンプ3の方向を見つめた。私たちアタック隊にとっても、このときの安堵感は生涯忘れられない。

やがて交信内容は、歓喜から安堵へ、そして再び懸念へと変わった。登山はまだ続いており、これからリスクの高い下山が始まろうとしていたからだ。「最後の最後まで気を抜くなよ」。出《で》利葉《りは》義次隊長が念を押した。ベースキャンプまでは標高差にして二七〇〇メートル。雪崩や落石、滑落の危険もある。山では最後まで何が起こるかわからず、気を緩めるわけにはいかない。

翌日、私たちは一気にベースキャンプまで下降した。雪解けによる岩盤の崩壊や落石が激しく、何度となく肝を冷やすこととなる危険な下降だ。この山に立つ限り、絶対的な安全は存在しない。死はすぐそこにあり、いつどのようにやってくるかさえわからない。私たちは逃げるように山を下りた。Ｋ２は山頂で雲を晴らし、私たちを迎え入れる一方で、下山時は落石の雨を降らせ、私たちを引き止めるかのように牙をむいた。のちに青木は〝Ｋ２に殺される〟と思ったと、このときのことを話した。

私たちは慎重に、かつ急いだ。一刻も早く、この山を下りたい。慣れ親しんだ岩や斜面に別れを告げ、各キャンプに残した荷を撤収した。ザックの重量は下に行くほど増えていった。連日の疲れから全身は硬くこわばり、両足は棒のようだ。次第に日が暮れてきたが、なおベースキャンプは遠く、ヘッドランプをつけて無心に下り続けた。やがて平坦な氷河が目の前に現れた。思い焦がれたベースキャンプまであとわずかだ。K2に登って下りてきたのだという実感とともに、安全な場所に還ってきたことを知った。ベースキャンプの方向に何かがチカチカ光っている。ヘッドランプの光だ。すでに深夜零時をまわっていたが、仲間たちが外に出て私たちを待っていた。

幸運の山

光のほうへ、仲間たちのほうへ、私と青木は足を進めた。山頂からの下りで幾度も見た幻の影ではなく、紛れもなく生きた人間の姿が目の前にあった。仲間たちは、私たちが帰還する最後の瞬間までその歩みをじっと凝視していた。

みな泣いていた。次から次へと手が差し出され、肩を叩かれる。固く長い握手と抱擁とを、その場の全員と何度も交わした。これまで、どれだけ大きな仲間の力に支えられてきたことだろう。このとき、心の奥深くから強い感情が湧き上がってきた。それは、ただここに存在していることの尊さ、と言えようか。人は何かを成し遂げたり、何かを残さなくとも、ただそこに生きていることがすでに特別で、尊いのだ、という実感だった。

翌朝、目が覚めると昼過ぎだった。疲労困憊《こんぱい》してこんこんと眠り続ける私たちを、ベースキャンプの仲間はそのまま眠らせてくれていた。ようやく目が覚め、寝袋の中からテントの黄色い布を目にしたとき、ああ、K2から還ってきたのだと、何とも言えぬ幸福感がこみ上げた。全てが過ぎ去ってしまうと、登山中のあの緊張感や恐怖すら、充足感に変わっていた。

その日、私たちの隊のベースキャンプでは登頂を祝うパーティーが開かれた。隊のパキスタン人コックが腕によりをかけ、普段より豪華なごちそう――肉がたくさん入ったカレーやパンケーキ――を作る。テーブルが外に運ばれ、皆で何の心配もなく食事を楽しんだ。パキスタン人スタッフは、登山が終わり下山できるのが嬉しいようで、ラジカセで流した民謡に合わせて愉快に踊っている。

私たちの帰還の知らせはベースキャンプ中に知れ渡り、他の隊の隊員が次々と訪ねてきた。彼らはひと通りお祝いの言葉を述べると、決まって上部のコンディションを知りたがった。

私たちのベースキャンプのすぐ隣にはロシア隊のベースキャンプがあり、彼らもそうした訪問者だった。ロシア隊の登山隊隊長はユーリ・ウテシェフ。八〇〇〇メートル峰四座の登頂記録を持つ、ロシア登山界のエースとされる人物だった。隊員はほとんどがシベリア出身者で、大柄で引き締まった体軀に、氷に削られたような凜《りん》とした表情をしている。一見して、彼らが屈強で勇猛な登山家であるとうかがい知ることができた。彼らは自信に満ちあふれていたが、私や青木をまじまじと見る眼差しには驚きの色が隠せなかった。こんなに小さな若者たちが登頂したのかと。

翌日、ロシア隊の昼食に招かれた。ロシア風の料理を期待したが、調理をするのが私たちと同じくパキスタン人のコックのため、いつもと変わらないカレー料理を食べた。食事が済むと、彼らは本題とばかりに、キャンプ3から上の詳細な情報を求めた。ボトルネック下の氷の状況はどうだったか、その上の雪はどのくらい深かったか。そう尋ねる彼らの青い目に、登頂への情熱がギラギラ光っていた。

それから約一週間後の八月一三日、ロシア隊はキャンプ3を出発し、山頂へのアタックを敢行したが、八三五〇メートル地点で悲劇に見舞われた。突如、背後から雪崩に襲われたのだ。結果、隊長のユーリ・ウテシェフを含む四人の隊員が消息を絶ち、その年、彼らの遺体は発見されなかった。彼らのうち三人は、それぞれの登頂数を合わせると、八〇〇〇メートル峰十二座の登頂実績がある経験豊富な登山家たちだった。

一九五四年に初登頂されたこの山では、これまで多くの登山家が命を落としてきた。二〇〇六年時点でK2の登頂者二五〇人に対し、遭難者は六四人。その遺体のほとんどが今も山に眠っている。遭難者たちの魂を弔うためにK2の麓にギルギーメモリアルという慰霊碑がある。踏み固められていない氷河の堆積物の上を歩いた先にある、高さ二メートルほどの石積みのケルンだ。そこには登山隊のキッチンで使っていたであろうアルミ製のプレートが所狭しとかけられ、遭難者の名前が刻まれていた。さらに数十メートル歩くと日本隊の慰霊碑もあり、日本語でこう記されていた。

「九七年スキルブルム・エクスペディション　信じ合い励まし合った我らの仲間、ここに眠る」

死者の魂に手を合わせる。人々の叫びや祈り、喜びや苦しみなどの様々な感情が今なお交錯し、山を彷徨《さまよ》っているように思われた。二カ月の登山の間、この山の様々な表情を見た。厳しい山だった。だからこそ登頂できたことよりも、生きて還ってきたことに心から感謝したかった。

カランカラン。遭難者の名が刻まれたプレートが風に揺れていた。その乾いた音を背に、私たちはギルギーメモリアルをあとにした。

その夜、私は眠れず、一人テントを出て山を眺めた。明日はいよいよベースキャンプから離れる。K2は月明かりを浴びて白い素肌を輝かせ、神々しかった。山は沈黙という言葉で語りかけてきた。私たちがこの地を去ろうと、時がどれだけ流れようと、山は変わることはない。ただ悠久の時間がある。

私はふと、ある思いにかられた。K2に登頂し、帰還したことは、ただ単に私たちが幸運だっただけなのだという思いだ。この山を登るために必死に努力もし、経験も積んできた。だがそうした努力や情熱以上に、この世界には運、不運とも言える大きな自然の流れがあり、私たちはその流れに生き死にを左右される不安定な存在にすぎない。

翌日、私たちはK2に手を合わせてベースキャンプをあとにした。K2は厚い雲に隠れていたが、私の目にはその姿が焼き付いていた。二カ月の間、来る日も来る日も憧れを抱いて眺めた山。やがて、忘れがたいその山が背後に遠ざかっていった。

数日後、氷河の先に緑豊かな谷が現れた。旅の終わりの地、フーシェ村。麦畑の一本道を歩くと、色づいた麦の穂が風に波打ち、黄金の海のようだった。ベースキャンプから数日を共にした荷運びの男たち、ポーターとはここでお別れだ。危険な氷河の道を我先にと歩き、凍える夜に火を囲んで暖をとり、一日の終わりには歌い踊る、強靱で陽気なポーターたち。日頃は麓の谷でわずかな畑地を耕し、山地での放牧を生業《なりわい》としている。彼らから見せてもらったのは、自然の厳しさと豊かさのなかで、祈りと感謝をもって生きる姿だ。こうした山の麓の民との出会いによって、私の関心は、山の頂から麓の風土へと移っていった。

私たちを乗せた古いジープは峠の道を下っていく。故郷の村への長い道のりを歩くポーターの背を追い越しながら。互いに手を振り合い、それぞれが自分の土地へ、家族の元へと戻ってゆく。砂煙が舞う道の先に、緑の沃野が見えた。

第二章

沙漠のオアシス パルミラ

垂直の分岐　シスパーレ

まばゆい光の中を私は歩いていた。足元は一面の砂。大小様々な風紋が刻まれた柔らかな砂に、自分の靴の跡を残していく。

二〇〇八年一二月、シリア中部のオアシス都市パルミラから南へ五キロメートルの沙漠で、土地の男にラクダの放牧を見せてもらった。ラクダの群れは沙漠の彼方へと消えてゆく。地平線に吸い込まれていくように。私は強い日差しを放つ沙漠の太陽を見上げた。太陽に導かれ、白い砂の沙漠を歩いているうち、ある記憶が蘇った。かつて、どこまでも凍てつく白い雪原を歩いた。私にとって分岐点となったあるヒマラヤの山、シスパーレでのことだ。

パキスタン北西部、バトゥーラ山群の峻峰シスパーレ。七六一一メートルのピラミッド状の山容はため息が出るほど美しく、その北面は垂直の岩と氷を抱く前人未踏の壁だ。

K2登頂から一年後の二〇〇七年、私は少数精鋭、最小限の装備で登山を行うアルパインスタイルでシスパーレの北面新ルートからの登頂を目指していた。この山は標高こそK2より低いが、技術的にはより困難で、結果的に撤退を余儀なくされた。雪崩や不安定な氷壁に阻まれ、最高到達点は五七〇〇メートルに終わった。

この山で、私は大きな心の変化を経験した。それは最初〝小さな違和感〟として現れ、次第に心の大きな部分を覆っていった。氷壁やクレバス帯など、緊張感を要する危険な状況でも、登山に集中することができなくなっていた。そんなときでさえ山の麓の暮らしのことばかり考えている自分に気づいたのだ。

その発端は、それまでのヒマラヤ登山で、荷運びを頼んだポーターたちと共に歩き、食事をしながら、その営みに触れたことにあった。ポーターたちは麓の村に家や畑、家畜を持ち、伝統を受け継いだ素朴で慎ましい暮らしを送っていた。経済的には裕福ではなかったが、敬虔なイスラム教徒として祈りを欠かさず、人懐こく陽気だった。彼らの表情の豊かさ、目の輝きを忘れられなかった。それが人間の幸福について考えるきっかけとなり、こうした風土と共に生きる人々の確固たる姿に、私は強く惹かれていったのだった。

それまで山において、私は自分の〝直感〟を何よりも信頼していた。生き物としての自分が五感で感じるささいな兆しにこそ、見えないリスクへの気づきがあり、状況に対する大きな意味が含まれていたからだ。このとき〝直感〟が働いた。自分の視点が山の頂に向かっていない以上、もう、ここには身を置けない。山そのものにではなく、山が生み出す風土に根ざす人間の姿に、私は心を奪われていた。

二〇〇八年夏、私は半年に及ぶ長い旅に出た。中国からユーラシア大陸を西へ。草原や沙漠の遊牧民、山岳民などを訪ね、生活を共にさせてもらった。突如として起きた自分自身の変化に戸惑いながら、私は立ち止まって考えるより、歩きながら考えることにした。こうした、さまざまな風土に生きる人々と出会う旅を続けながら、私は自分が見た多様な世界をフォトグラファーとして表現することを志した。そんな旅の途上で出会ったのがシリアであり、沙漠だった。そして今、私は沙漠を歩いている。

再び太陽を見上げた。どこに立とうと同じ太陽が私を照らしている。沙漠の空に輝くその一点の光は、地表を流れていく私にとって、まさに希望の定点だった。

アブドュルラティーフ一家

地中海沿岸部、アラビア半島の付け根に位置する国、シリア。国土は日本の半分ほどながら、沙漠や大河、山地など多種多様な自然に恵まれている。北部を流れるユーフラテス川流域は緑豊かな農耕地であり、古代文明の発祥地として知られる。地中海沿岸には古代ギリシャ植民地時代や、十字軍時代の遺跡が点在し、海の向こうから文明や征服者を受け入れてきたことを物語る。国土の中央部には、ヨルダン、イラクにまたがって広がる広大なシリア沙漠がある。アジア・ヨーロッパを結ぶ交通の要衝として文明の興亡が繰り広げられてきた土地だ。二〇〇八年当時の人口は約二二四〇万人、民族はアラブ人が九〇パーセントを占める。宗教はイスラム教スンナ派が大多数だが、キリスト教、ユダヤ教、その他のイスラム諸派が共存してきた。

シリア中央部にパルミラという街がある。周囲を沙漠に囲まれた人口五万ほど（二〇〇八年）の都市だ。古代からナツメヤシの林立するオアシスとして知られ、その名の由来もナツメヤシを意味するギリシャ語〝パルマ〟とされる。街の外れには、東西交易の中継地として栄えた世界遺産パルミラ遺跡がその姿をとどめ、二〇〇〇年前の栄華をしのばせる。

二〇〇八年一〇月、この街で、周辺の沙漠に暮らす遊牧民を探した。街の郊外に少し出れば、すぐに遊牧民のテントが目に入るだろうと聞き、沙漠へと続くアスファルトの道を歩く。やがて遠くにラクダの群れを見つけた。近づくと、後から群れを追う男が怪訝《けげん》そうにこちらを見た。男はアラブ民族の男性がかぶる伝統的な布、赤と白の模様のカフィーヤで頭を覆い、着古した黒いジャンパーを羽織って、ところどころ穴の開いたジーンズをはいていた。遠目からは年齢不詳だったが、日に焼けて黒光りする肌、黒い目が印象的だった。身振り手振りで、写真を撮っていいかと尋ねると、男は黙って頷《うなず》き、こちらをたびたび振り返りながら通り過ぎていった。

その日、遊牧民のテントを見つけることはできなかった。

翌日、再び沙漠へ向かった。昨日とは違う道を歩いていると、後方からやってきたバイクが一台、近くで止まった。乗っているのは顔にカフィーヤを巻いた二人の青年だ。前に乗る青年に見覚えがある。昨日沙漠で会った男だ。彼は片言の英語を話し、ラクダを放牧する兄のもとへサンドイッチを届けると言う。遊牧民を探していると相談したところ、知り合いの遊牧民を紹介してくれることになった。願ってもない機会だ。こうして彼がその日の沙漠の案内人になり、私はバイクの最後尾に乗せてもらって凹凸の激しい沙漠の道を進んだ。青年はラドワンと名乗った。イスラム教で七層あると信じられている天国のひとつを意味する、アラビア語の名前だ。

ラドワンは、沙漠がどんなに美しいかを語った。夏の沙漠は身を焼くように過酷だが、朝夕、空と大地の色が鮮やかに移り変わる様は、まるで夢を見ているようだと。沙漠には何の障害物もない。無限と、静寂とがある。座るだけで安らぎを得られる。パルミラの郊外にはザクロやオリーブの緑あふれる果樹園があり、木陰に集い、日が暮れるまで友人と語らうのが楽しい。彼はさらに嬉しそうに家族の話をした。仕事を怠けるとうんと厳しいが、冗談好きな父親のこと。いつだって美味しい料理を作る優しい母親のこと。大家族に生まれ毎日が賑やかで愛おしいこと。ラドワンの一家は、季節によってパルミラと沙漠を行き来しながらラクダの放牧を生業としていた。他に、ヤギや羊の放牧・と畜、果樹園でのザクロやオリーブの栽培、さらにサンドイッチ屋の経営まで手がけている。姓はアブドゥルラティーフ、アラビア語で〝神のためによく働く者〟という意味だそうだ。ある日、ラドワンは自慢の家族のもとに私を連れていってくれた。

それがアブドゥルラティーフ一家との出会いだった。

アブドゥルラティーフ一家は父親ガーセムと母親サーミヤ、その子供である一六人の兄弟、さらにその子供の三世代がひとつの家を拠点に生活を営む、総勢六〇人ほどの大家族だ。

「父と母はラクダの乳を毎日飲んでいるからね」。並外れて一家に子供が多いのは、栄養豊富で強壮作用があるとされるラクダの乳を、両親が毎日飲んでいるからだと子供たちは考えている。一六人の兄弟は、上が約四〇歳、下は約二〇歳までの年齢差がある。互いにおおよそは把握しているものの、正確な年齢は誰一人知らない。

「あんまりたくさん子供がいるからわからなくなっちゃった」。母親のサーミヤはそう笑う。加えて、県都ホムスで数年に一度しか出生届を提出しなかったため、数名ずつの兄弟が、同じ年の同じ一月一日生まれとして戸籍に登録された。

兄弟はみな仲が良く、喧嘩もするがすぐ仲直りし、それぞれなくてはならない存在だ。結婚しても実家の近所に住み、全員がほぼ毎日実家に集う。大人数がひっきりなしに出入りし、食事をしたり、家事を手伝ったり、夜になれば自分の家に戻らずそのまま泊まることも珍しくなく、一体この家に何人が住んでいるのか、という問いは意味をなさなかった。彼らでさえ、その人数を把握していないのだ。この家は誰もが食事をとり、眠ることのできる家だった。いつも子供の泣き声や笑い声、女のおしゃべりや男の冗談が賑やかに響いていた。孫たちはそうした自由闊達《かったつ》な大人の背を見て奔放に育っており、小学校の制服を着て家を出たまま学校には行かず、たいていどこかの果樹園や家畜小屋で遊んでいる。アブドゥルラティーフ一家では、子供は学校に行かないのが普通だった。そして教科書やかばんをどこかでなくした。机に向かって勉強するより、生きた動物を相手にしたり、自然の中で走り回るほうが楽しいのだ。しかしそうした孫たちを目にすると、ガーセムは杖を振り回し、学校に行けと叱った。彼らは、年をとったガーセムがなかなか自分に追いつけないのをいいことに、すばしこく逃げ回るが、最後にはその場にいる大人に捕まえられ、こっぴどく叱られる。しかしその大人もまた、かつて学校に行かずガーセムに杖で叩かれた一人だ。孫たちは何度叱られても懲りず、翌日にはまた学校に行かずにどこかで遊び、ご飯の時間にだけ帰ってきては、夜遅くまで路上でサッカーに興じる。

アブドゥルラティーフ一家の子供や孫たちは、こんな具合に伸び伸びと破天荒に育っている。あるとき、まだ一〇歳ほどだった二人の兄弟が、車の運転をして遊んでいたのを近所の家族が咎《とが》め、連れてこられたことがある。ガーセムはその場で兄弟を厳しく叱った。運転できない年齢で運転したことではなく、危険を考えずに運転したから叱ったのだ。そしてその直後、空き地に子供たちを連れていき、自ら運転を教えた。隣人はその様子を見てあっけにとられたが、ガーセムは意に介さなかった。彼は法律や常識からではなく、自分で考え判断することが一番大切だと信じていた。そのため、自ら手をとり運転を教えることで、一歩間違えばいかに危険な行為だったかを子供に諭した。

一家では、食料の買い出しはたいてい一五歳以下の子供の役割だった。小さい頃から金銭感覚を養わせるためだ。ガーセムは困窮に喘《あえ》いだ少年時代、そして長年大家族を養ってきた経験から、人間は、自ら生きる力を養わなければいけないという信念を持っていた。これはつまり、この土地で、いかに家畜を育て、果樹園の木々を管理し、金銭を正当に稼ぐかだ。収入源はひとつだけでなく、複数あったほうがよい。自分らの手でできる仕事は全てやり、それらを家族で担う。加えて、生きるためには状況に合わせて柔軟に変化すべきだと思っていた。

ガーセムとサーミヤ

アブドュルラティーフ一家の父親ガーセムは、一九三九年、シリア中部の街ホムス郊外に生まれた。家業はラクダの放牧と、綿花や小麦の栽培だった。四歳で父親が亡くなると、生活は困窮した。三人の子供を抱え未亡人となった母親は、翌年パルミラの男性と再婚し、ガーセムたちもパルミラに移った。

当時のシリアは第一次世界大戦後の激動の時代で、一九二〇年、シリアの国境線がイギリスとフランスによって定められた。一九四六年にはフランスから独立したが、クーデターや反乱が絶えず、一九五八年にはエジプトと連合した「アラブ連合共和国」が成立した。しかし一九六一年に再びクーデターが発生し、エジプトとの連合は解消され、「シリア・アラブ共和国」として再独立を果たした。その後も元大統領の暗殺やクーデター、反乱が相次ぎ、一九六七年には第三次中東戦争、一九七三年には第四次中東戦争が勃発し、情勢は混乱を極めた。

そんななか、パルミラに移った幼いガーセムたち兄弟は、日々の食料のことばかりを考える生活を送っていた。ガーセムは物心がつく頃から兄たちと建設現場で働き、家計を助けた。

やがて二〇歳を過ぎたガーセムは、兵役のため、二年間を首都ダマスカスで過ごした。フランスによる植民地支配の名残をとどめる建築や食文化、最新式の銃や兵器、全てが新鮮だった。また軍隊では、アラブ人だけでなくクルド人やキリスト教徒、少数派のイスラム教アラウィ派など、普段交わることのない若者たちと語らうことができた。こうした日々は、この国の急速な変化と、パルミラの外に開ける広い世界をガーセムに気づかせた。やがて兵役が終わるとガーセムはパルミラに戻り、再び建設の現場に立った。そして運命的な出会いを果たす。

ある夏のことだ。パルミラの建設現場で、ガーセムはある女性を目にした。彼女はブルカをまとっており、顔が見えなかったものの、歩き方や立ち居振る舞いに内なる美しさが感じとれた。彼は名も知らぬその女性に恋をし、結婚を申し出た。しかし相手の家族は首を縦に振らなかった。泥だらけで働くガーセムの仕事を嫌ったからだ。しかし諦めることなく何度も求婚する彼の熱意に押され、家族はやがて結婚を承諾した。求婚から二年の時を経て、ガーセムは女性を娶《めと》った。こうして一九七〇年、ガーセムとサーミヤは夫婦となった。当時ガーセムは三一歳、サーミヤは一四歳だった。それからガーセムは建設現場で働く一方、少しずつラクダを増やし、沙漠での放牧も始めた。

妻のサーミヤは穏やかで気立てがよく、働き者だった。しかし街で育ったサーミヤにとって、放牧のために一年の半分を沙漠で過ごす生活は厳しかった。サーミヤの白い肌は日に焼けて褐色になり、柔らかかった手足は、屋外でのあらゆる仕事によって皮膚が固くなりひび割れた。

夫婦は二三人の子供を授かり、全員を沙漠のテントやパルミラの自宅で出産した。うち七人は幼い頃に亡くなり、一六人が成長した。一家は大家族が多いパルミラでもとりわけ子沢山の家族だった。生活は楽ではなかったが、家族で賑やかに過ごす日々は幸福で、子供の成長が夫婦の生きがいだった。早朝から夜遅くまで、ガーセムとサーミヤは寝る間も惜しんで働いた。

こうして半世紀。一六人の子供は個性豊かに成長した。多くが所帯を持ち、毎年孫やひ孫が生まれる。ガーセムとサーミヤは、今や自らの身体を酷使する必要はない。子供や孫が生活を支えているからだ。ガーセムが十代から増やしてきたラクダは一〇〇頭近くになり、パルミラ周辺で最も多くのラクダを所有する家族となった。

ラクダの放牧とラーハ

二〇〇九年一〇月、あたりがまだ青色に沈む早朝、昼食のサンドイッチをザックに詰め、待ち合わせ場所にしていた市街の十字路に立った。約束の時間より三〇分以上遅れて、一家の兄弟である十一男バーセル、十二男ラドワンが、バイクに乗って現れた。彼らにとって時間の約束は、あってないようなものらしく、遅くなったことを謝る素振りもなく、〝さあ、早く乗って〟と私を急かすと、三人乗りしたバイクで沙漠へ向かった。バイクが切り裂く朝の風が頬に冷たい。今日は一家の仕事を見せてもらうのだ。放牧を担当するのは兄弟のうち若い四人で、年長の兄から下の弟へと順々に引き継がれてきた。

バイクを運転するバーセルが沙漠を指差した。「群れが見える」。それから一〇分ほど経って、ようやく私の目にもラクダが見えてきた。

ラクダは「沙漠の舟」と言われる。乾燥した気候に適応し、何日も水を飲まなくとも歩き続けられるからだ。古代から沙漠での移動・運搬に活躍してきたが、現在では動力としての役割は車に取って代わられた。しかし依然高価な家畜だ。肉や乳は食用に、毛は衣類や絨毯となる。沙漠の民がその誇りをかけて熱狂する伝統行事、ラクダレースにも使われる。これは五キロメートルほどの沙漠の道を走り、速さを競うレースだ。沙漠に生きるアラブ人にとってラクダは自らのアイデンティティを示す存在で、財産でもある。日本円にして一頭一〇万円前後から取引され、均整のとれた体格のラクダは一〇〇万円以上の金額が動くことも珍しくない。シリア人の平均月収が二万円ほど（二〇〇八年時点）であることを考えると、その高額さがわかる。アブドュルラティーフ一家が所有するラクダも、父親のガーセムが一五歳で兄と一緒に初めてラクダを飼って以来、五〇年以上かけて増やしてきた大切な財産だ。

ラクダの群れはすでに移動を始めていた。その傍らで、誰かが手を上げて「やあ」と挨拶している。六男のサーメルだ。寒そうに毛布をかぶり、身体をすっぽりと覆っている。夜の間ラクダが移動しないよう、群れを監視しながら一夜をあかしたのだ。やがて太陽が昇り始めると、沙漠は橙色《だいだい》に輝いた。みるみるうちに冷気は消え、足元から砂が熱を発し始めた。

ボリボリ、バリバリ。トゲのある草をラクダが噛み砕く音がする。歩みを止めることなく、ラクダは首を垂らしたまま草から草へと移動する。人間が近づくと首を上げて凝視するが、数秒経つとまた首を下げて草を探す。一日中移動しながらラクダはとにかく食べ続ける。サーメル、バーセル、ラドワンと私は、群れが広がりすぎないよう注意しながら、その後ろをゆっくり歩いた。

喉が渇く。私が持ってきた水は数時間でなくなってしまった。一方、三人の兄弟はあまり水分をとらない。沙漠の気候に慣れ、渇きに強いようだ。しかし彼らによれば、沙漠の住人と謳われたかつてのベドウィンは、さらに渇きに強かったそうだ。乾燥させたナツメヤシの実、そして乳を出す雌ラクダがいれば、他に食料がなくても数週間沙漠を旅できた。

ベドウィンは、アラビア語で〝街ではないところ（沙漠）に住む人〟を語源とし、アラビア半島の沙漠で、伝統的に遊牧と交易を担ってきた人々を指す。沙漠は彼らにとり、街と街をつなぐ開かれた世界だった。しかし国境が定められて生活圏を区切られ、さらに動力が車に代わると、生活は大きな転換を迎えた。現在ではかつての遊牧と交易の伝統――一年を通して沙漠のテントに暮らし、放牧と交易のみに経済基盤を置く遊牧スタイル――は急速に失われ、ほとんど姿を消しつつある。

アブドュルラティーフ一家も、そのルーツはイラクの沙漠に拠点を置いたベドウィンだった。一九二〇年にイギリスとフランスによって国境線が定められるまで、祖先たちはオアシスと沙漠をつなぐ古来からの道をたどり、イラク、シリア間を行き来していた。だがガーセムの祖父の代で定住化を図り、ベドウィンとしての生活から離れた。二〇〇九年当時もアブドゥルラティーフ一家は、街を拠点に沙漠で放牧を営み、ベドウィンだった名残をとどめている。

「沙漠は変化に富んでいる。同じ沙漠はひとつとしてないよ」。ラクダを追いながらバーセルが言った。彼らも時おり沙漠で道に迷うが、砂の形や色、植物の種類や星の見え方などの微細な違いから、土地を見分けることができる。地図上では〝沙漠〟とだけ示される土地。しかしそこに生きる者にとって沙漠とは、一生をかけても記憶できないほど広大で、変化に富み、多くの人間の物語が伝えられる土地なのだ。

太陽が頭上で輝く頃、長い休憩をとった。喉はからからだ。「お茶を飲もう」。そう言って腰を下ろすなり、男たちは世間話を始めた。そして寝転び、タバコをふかし、なかなか動かない。それから三〇分が過ぎたが、彼らはお茶を淹《い》れる気配すら見せず、私はせかしたくなる気持ちをぐっと抑えた。シリアでは、再三同じ経験をしていた。つまりは、シリア人にとってこの時間もまた、「お茶を飲む」ということなのだ。

以前、沙漠に暮らすベドウィンの家族からコーヒーを飲みにきなさいと招かれたことがある。そのときは、コーヒーが出てくるまで三時間かかった。通常、客人が来てから、淡緑色をした生のコーヒー豆が運ばれてくる。それはまだ良いほうで、ときにはその時点で街に買いに出ることすらある。まず、互いにひと通り近況報告を兼ねたおしゃべりをし、それが済むと、ようやく鍋で豆が煎られる。そしてたわいもない世間話、冗談に和みつつ、その手をたびたび休めながら、カタツムリが歩くような速度でコーヒーが淹れられる。ようやくコーヒーが飲めると思っても油断できない。そもそもコーヒーの器がなかったり、同席した客人が昼寝を始めたりして、当然のようにコーヒーは遅れる。そうしてようやく三時間後にコーヒーが目の前のカップに注がれたときには、痺れを切らした感情も失せ、静かな感動すら覚えるのだった。夕食に招かれたときなどは、食事が出るまでに五時間かかったこともある。このときは自宅にうかがってから調理が始まり、さらに足りない食材を買いに一緒に市場に行った。要は、この土地では、お茶を飲んだり食事をとることそのものより、その過程の共有が大切なのだ。そこに効率や速さは求められない。むしろお茶や食事を手早く済ませて立ち去るのは大変失礼な行為とされる。共にゆったりと流れる時間に身を置き、今を味わうこと。それが彼らにとっての豊かな時間であり、客人への最高のもてなしとされる。

休憩中のアブドュルラティーフ一家の兄弟三人もまた、こうした時間を楽しんでいるのだった。せめて火起こし、燃料集めなどの役割分担だけでも決めればよいのにと思うが、お茶を飲むために、まず何もしない、ということの時間が大切なのだ。結局、枯れ木が集められて火が焚かれたのは、一時間近く後だ。

黒光りするやかんが焚き火にかけられ、そこにたっぷりの砂糖が加えられた。砂糖は水の段階から入れて煮溶かすことで、さらに風味が増すとされる。やがて湯が沸くと、大量の紅茶の茶葉がやかんに加えられた。こうして男たちの自慢のお茶が出来上がり、飴色に光るお茶がグラスに注がれる。一口飲むと焚き火の香ばしい匂いがした。砂糖も茶葉もたっぷりの、激甘の濃いお茶だ。

「沙漠で飲むお茶ほど美味しいものはないよ」。サーメルは顔をほころばせ、これこそ至福のときだとばかりお茶をすすった。シリアではこの紅茶を「シャイ」と呼び、食事や休憩時はもちろん、あらゆる場で一日に何杯も飲まれる。

お茶で一息つくと、男たちは昼食の準備にとりかかった。すでにラクダの群れはかなり遠くへ行ってしまったが、気にかける様子もない。休むときは何も考えず休むのだ。

砂の上に布を広げ、そこに食材を並べる。ホンモスと呼ばれるひよこ豆のディップ、オリーブの実の油漬け、チーズ、トマトにキュウリ。それぞれの手に薄いパン、ホブスが配られ、イスラムの祈りの言葉「ビスミッラー」を唱えて昼食が始まった。「ビスミッラー」はアラビア語で「アッラーの御名において」を意味する。何かを始めるときに決まって唱えられ、食事の席では食料が与えられたことに感謝を示す。アラビア語はイスラムと深く結びついており、言葉に信仰が宿っている。

昼食中、いつものようにサーメルが冗談を飛ばし、皆を笑わせた。どこまでも愉快な時間だ。そのうち食事中にもかかわらず、サーメルとバーセルが取っ組み合いを始めた。大の大人の、それも食事中のじゃれ合いに驚く私を横目に、弟のラドワンは気にも留めず食べ続けている。兄弟は上になったり下になったり互いの身体を押し合いながら乱闘し、昼食のホンモスを互いの顔につけ合い、それぞれの顔をどろどろにした。食材は散らばり、その場はめちゃめちゃになったが、ようやく気が済んだらしく、すっきりした様子で昼食に戻った。

〝シリアン・ノクタ（シリア製冗談）〟という言葉があるように、シリア人はユーモアをこよなく愛することで知られる。一家の兄弟たちも例外ではなかった。しかしその彼らも、日に五回のイスラムの祈りのときだけは、敬虔な姿を見せる。どこにいても祈りを欠かさず、時間も正確に守る。数分前までじゃれ合っていたサーメルとバーセル、ラドワンは、祈りの時間が来ると、砂で身体を清め、裸足で沙漠に立った。そしてきりりとした表情で祈りを捧げた。

彼らはイスラム教スンナ派、シリア人の九割を占めるイスラム教徒の中でも、大多数を占める一派だ。彼らにとり、イスラムの信仰は生きるうえでの支柱で、生活の全てがその教義にのっとっている。唯一神アッラーと聖典クルアーン（預言者ムハンマドを通じて神が下したとされる啓示）を信じ、日に五回のお祈り、弱者への施し、断食や聖地への巡礼などを行う。イスラムの本質は平和と寛容さにあるとされ、人々が最も意識するのは心の平安を保つことだ。人間は善でも悪でもなく弱い存在なので、正しく生きるための生活規範が必要であるとされる。そして人間の本質や幸福は時代によって変わるものではなく、家族の営みこそが幸福の源とされる。

アラビア語に「ラーハ」という言葉がある。「ラーハ」はゆとり、休息という意味で、家族や友人と過ごす穏やかな団欒の時間をいう。良い人生とは、「ラーハ」をたくさん持つ人生とされる。アブドュルラティーフ一家もまた、ゆったりとした時間に日常生活の価値を見出していた。

私は季節をまたいでシリアへ、沙漠へ、アブドュルラティーフ一家のもとへと赴いた。イスラムという信仰を軸に、ゆったりと生きる人間の姿と、沙漠というむき出しの自然が新鮮だった。沙漠を歩き、空を見上げると、地球を自分の内側に感じることがあった。確かにこの星の上に生きているという感覚。それはヒマラヤの山での感覚にとてもよく似ていた。

鳩捕りとソフィアン

二〇一〇年のある冬の日、アブドュルラティーフ一家の兄弟、サーメルとラドワン、それに彼らの三人の友人とで沙漠に向かった。面白いものを見せてくれるという。乾いた風がひゅうひゅう吹きすさぶなか、一時間ほどバイクを走らせる。やがて大地にぽっかりと口を開いた直径三メートルほどの穴が見えた。サーメルによると、古代にローマ人が掘った井戸だそうだ。中を覗くと、内側は小石を積んで精巧に固められており、底にいくにつれ光が入らず暗かった。すでに水も涸れているようだ。

井戸の造築技術の高さとともに、命の糧である水をここに求めた人々の熱意がうかがえた。この地にどんな人間の営みがあったのだろう。井戸の周囲には何も残っていなかった。男たちは縄と銃を取り出し、準備を始めた。これからこの井戸の〝住人〟を捕獲するのだ。住人は砂や風、外敵から身を守るため、井戸内部の石の隙間に住んでいるという。五人の男たちは、誰が井戸の内部に降りるか相談を始め、やがて、痩せて身軽なソフィアンに決まった。

ソフィアンは腰に縄を結ぶと、「ビスミッラー」とイスラムの祈りを口にした。そして緊張した面持ちで体重を預けた。四人の男たちが縄を繰り出し、ソフィアンの身体はゆっくりと吊り下ろされていく。縄の先端はバイクに固定されてはいるが、要は人力だ。突然、数羽の鳩が素早く飛び立っていった。住人たちが、侵入者の気配を察知したのだ。ソフィアンは〝この縄に命を託しているぞ〟と確認するように、一瞬真剣な眼で仲間たちを見やると、そのまま見えなくなっていった。いよいよ井戸の住人、つまり野生の鳩を捕獲するのだ。

ソフィアンは逃げることなくたじろいでいた鳩たちを容赦なく次々に捕らえ、腰に下げた麻袋に入れていった。上では二人の男が銃を構え、逃亡者に備えている。せわしなく動き回る鳩の羽音、危険を知らせ合う鳴き声、それを威嚇するソフィアンの声が井戸の奥から反響し、現実か夢の中かわからなくなるような錯覚にとらわれた。古井戸で繰り広げられているのは、生存を賭けた戦いだ。

バン、と甲高い銃の音が響く。同時に十羽近い鳩が空へ飛び上がり、沙漠の方々へ散った。そして再び、静寂が訪れる。まもなくソフィアンの呼び声が聞こえ、男たちはかけ声を合わせ、縄を上へと引っ張った。ようやく地面にしがみつくようにしてソフィアンが這い上がってきた。顔には汗がじっとりとにじんでいる。井戸へ降りてからほんの十分ほどの出来事だったが、緊張からか、彼は一気に歳をとったように感じられた。ソフィアンの腰の麻袋の中で、自由を奪われた数羽の鳩がばさばさと暴れていた。この鳩が、今晩の夕食だ。

赤い大きな太陽が全てを橙色に染めて沈んでゆく。絵の具を混ぜて伸ばすように、空は橙色から赤へ、ピンクへ、青から紺色へと色を変え、やがて夜の黒に覆われた。空と大地が夜の帳《とばり》に溶け合う間、私たちを乗せたバイクは沙漠を走り抜ける。いつの間にか、星が瞬いている。ひとつ、ふたつ。銀色の星が詰まった宝石箱をゆっくり開くように、沙漠の夜が更けていった。

鳩捕りから数日後、ソフィアンの家族から夕食に招待された。日本人である私に興味を持っているようだった。ソフィアンの家族は敬虔なムスリムとして知られていたため、くれぐれもイスラムの文化をわきまえて訪問するよう、アブドゥルラティーフ一家の母親サーミヤから念を押された。彼女は身体の線が目立たないようにと、黒く長いコートを貸してくれた。さらにヒジャーブと呼ばれる布で髪を覆い、現地の女性と同じ格好でソフィアン宅に向かった。通訳のため、英語ができるラドワンも同行してくれた。

ソフィアンの家はパルミラの大通りに近い住宅街にある。鉄製のドアを叩くと十歳ほどの少年が現れて中へと招き入れた。内側には細長い中庭があり、そこに太いナツメヤシの木が一本生えている。それを囲むように床に鮮やかなタイルが敷かれていた。ナツメヤシの木が数世代前から大切に育てられ、ここが憩いの場とされてきたことがうかがわれた。

「ようこそ、ようこそ」。中庭を抜けると、二人の女性が戸口に立っていた。ふっくらした初老の女性に、すらりとした若い女性、ソフィアンの母親と妹だ。二人は、アラブ式挨拶――肩を抱き合い両頰にキスをする――で私を迎え、色鮮やかな絨毯《じゅうたん》が敷かれたこぢんまりとした居間に私を通した。そこにはすでに、ソフィアンとその父親、さらに二人の弟が座っており、軽く右手をあげるだけの簡単な挨拶を交わした。

イスラム文化では、家族以外の異性と交流する機会はなく、女である私とソフィアンの男家族がこうして顔を合わせることは通常ない。だが私が異教徒の外国人であるため、特別に同じ場での夕食が用意されていた。それでも男たちは、私と握手をしたり近づくことはない。イスラムでは、異性への慎みがことさら大切にされているからだ。

アラブ人は自宅に客人を招くのが好きだ。時間を忘れて、食事やお茶を客人と楽しむのはアラブ人の楽しみのひとつで、どこの家でも頻繁に行われ、特に遠方からの旅人や客人は歓待される。この日、彼らはシリアの伝統料理マンサフを用意して、もてなしてくれた。

マンサフは、香辛料で黄色く炊いたご飯に、煮込んだ羊肉、または鶏肉をのせた料理で、パルミラではもてなしの場や祝いの席で決まって供される。他にイタリアンパセリとトマト、玉ねぎをみじん切りにしたタッブーレというサラダ、ニンニクの効いたヨーグルトが運ばれた。そのどれもが大皿に豪快に盛られている。十人前はあろうか。ソフィアンの母親と妹が、朝から何時間もかけて作ったそうだ。アラブ社会では、女性の最も大切な仕事は家族を幸せにすることとされる。とりわけ大食漢が多いアラブ人にとって、美味しい料理を作ることは必要不可欠なのだ。

料理が運ばれてきても、先ほど挨拶を交わした妹は現れなかった。不思議に思って尋ねると、この場にラドワンがいるため妹は同席できないとソフィアンが答えた。たとえ親友であっても、自分の妹を見せることはできないのだ。

イスラム社会では男と女の世界が明確に分けられる。未婚の男女の接触は家族関係を破壊する可能性があるとされるからだ。この土地では、家族の和があってこそ個人の幸福があるとされ、それを乱すことがないよう男女間の関係性に規範が求められている。

特に未婚の男女の交流は慎むべきものとされ、結婚後も、女性が若いうちは、家族以外の異性との交流はよしとされない。パルミラは、シリアの中でも特にこうしたイスラムの慣習が厳しかった。

夕食が始まった。男たちは右手でじかに米や鶏肉をつかんで食べる。左手は不浄の手と言われ、挨拶や食事では使わない。普段の食事にはスプーンとフォークを使うが、マンサフは手で食べるのが伝統だ。取り皿は使わず、食べたい分だけめいめいが大皿から食べる。男たちの激しい食べっぷりに萎縮していると、ソフィアンの父親が美味しそうな肉を選んで分け皿にとってくれた。異教徒である私への細やかな配慮がありがたかった。ソフィアンの父親は七〇歳前後だ。パルミラの高齢男性がよく身につける丈の長い民族衣装、ガラベーヤをまとい、分厚いメガネをかけ、モジャモジャの白い髭を蓄えていた。

数時間かけて作っただろう料理も、食べるのはあっという間だ。パルミラでは時間をかけて食事を楽しむ習慣はなく、料理が運ばれたとたん、まるで競争が始まったかのようにガツガツと平らげる。その間十分ほど。それから腹を満たして安心したかのように、はじめてゆっくりと談笑しながら甘い紅茶を飲むのが習わしだった。

「あなたの国のことを話してほしい」。紅茶を飲みながら、ソフィアンの父親が言った。彼は日本の文化や歴史をよく知っていた。日本に関する本も多く読んだという。実際、居間の本棚に「ブシドー」「テンノー　ヒロヒト」という本まであった。彼は言った、日本は小国ながらロシアやアメリカなどの大国と果敢に戦った。戦争に敗れたが、その後に成長を遂げて先進国となった。そうした国のあり方を尊敬している、と。彼はまるで自分の子供のことのように日本の歴史を嬉々として語り、昔の日本人のマインドは強かったと誉めたたえた。名誉のために死を厭わなかった武士道や、戦時中の特攻隊について「サムライ」「ハジ」「カミカゼ」などの言葉を交えて語った。シリアの地方都市に暮らす老人が、ここまで日本について知っていることに驚かされた。彼はひと通り日本について語った後で、「だが……」と続けた。今の日本人はアメリカの意のままにコントロールされている。空襲や原爆によって多くの市民が犠牲になったことに怒りはないのか。いまだに国内には米軍基地もある。戦後何十年も経っているのにおかしいと思わないのか、と切り出した。どうやらこれが、ソフィアンの父親が日本人の私に最もぶつけたかった問いかけのようだった。答えに窮していると彼は言った。私は昔の日本人を尊敬している。君をもてなしたのは、君が日本人だからだ。

ソフィアンが口を開いた。自分たちシリア人は、他民族から支配される歴史が長かった。だからいつも政治について考えている。しかし今のシリアでは、自由に政治を語ることが許されていない。はからずも、ソフィアンの口から語られた、こうしたシリアの現状への不満は、この国に来て初めて聞くものだった。

首都ダマスカスでは、毎年ここかしこに掲げられたアサド大統領のポスターを目にしていた。「あなたを信頼しています」「愛しています」。大統領の写真とともに書かれたこうしたスローガンを見るたび、私は政権は支持されているのだとばかり思っていた。そう話すと、その場の全員がどっと笑った。まだ十歳のソフィアンの弟までもが。

「君はそう書かれていたら、そのまま信じるのか」。父親は笑ったかと思うと、次の瞬間、真面目な表情に変わった。そして言葉を吟味しながらささやいた。

「君に教えよう。現実は全く逆だ。だからあえて、そう書くのだ」。父親によれば、シリアには治安を維持するために秘密警察という役職があり、至るところで市民の活動に目を光らせている。もし誰かが政権批判をしようものなら、すぐに秘密警察に密告され、国家反逆罪で逮捕されるだろう。これまでも政治改革を叫んだ多くの市民が弾圧を受け、殺害されたり、行方不明になっている。

「シリアの歴史を知るなら、表で声をあげることはしない」。その表情からは、彼らが抱えてきた深刻なものが感じとれ、私は言いようのないショックを受けた。シリア人の本心。それは表に現れないようベールで隠されてきたが、確かに人々の心のうちに存在していた。彼らはその歴史から、表と裏とを使い分けて生きることを学んできたのだ。

やがてソフィアンの母親がデザートのスイカを切って持ってくると、重くなった空気を感じとった父親は話題を変え、信仰について話し始めた。それはこれまで、パルミラのあらゆる場で尋ねられてきたことだった。イスラムの信仰を生活の軸とするアラブ人にとっては、相手がどのような信仰に生きているのかが関心事なのだ。だが、なかには他宗教の否定や、正義か否かの議論に終始するムスリムも多く、多様な宗教観が共存する日本で生まれ育った私にとっては複雑な心境になることもあった。異教徒に対して、あくまでも善意で、自らの信仰の正しさを語ろうとするムスリムは少なくなかった。裏を返せば、それ抜きに社会や人生を語れないほど、信仰が人々の心に深く浸透しているということだった。

平静を装いながら私は身構えた。彼はイスラムの宗教観を正当化し、日本の宗教文化を否定するだろう。案の定、ソフィアンの父親は語り始めた。日本人の強さは尊敬に値するが、その宗教観は何十年経っても理解できない。彼は、多神教であること、石や木を拝むことについての説明を求めた。口調は穏やかだったが、その内容はイスラムの絶対性を説くようで、ナイフのような鋭さがあった。

私は自分なりの理解を嚙み砕いて説明した。日本人は古代から、自然の細部に神が宿ると考えた。さらに歴史の中で神道と仏教が融合し、柔軟な信仰を形づくった、と。

では仏教とは何かと問われた私は沈黙した。自分を律し、慈悲をもって生きることではないかと思ったが、自国の宗教について他者に語れる言葉を持っていなかった。だから彼らとは、宗教について同じ土俵にさえ立てなかった。問題は、彼らの勧誘が強いことではなく、自分自身の宗教観が掘り下げられていないことだった。

ソフィアンの父親は熱心なムスリムで、イスラムこそが唯一の真実だと確信しているようだったが、私にそれを強要することはなかった。それだけではない。さらに彼は、外国人である私から見たイスラムの問題点をあげてほしいと言うのだ。躊躇したが、「神に誓って怒らない」と約束したので、私は思いきって口を開いた。

――私が感じていたイスラムへの違和感。まず、女性の立場の弱さだ。女性の社会的立場が圧倒的に弱く、家庭では男性が女性を意のままにコントロールしていると感じることもあった。さらに、異教徒として自分の宗教文化を否定されやすいことにも違和感があった。それを聞いた父親は、態度を崩さずに言った。あなたが宗教的な居心地の悪さを感じたなら、まず謝りたい。ただ信仰を勧める者は、良いものを勧めたいという善意からなのだ。とはいえ相手の思いを踏みにじってまでイスラムを強要するのは、真にイスラムを理解している者ではない。信仰とはどこまでも神と自分との一対一の向き合いで、決して他人から強制されるものではない。

父親は、イスラム教の預言者ムハンマドが、自宅にユダヤ教徒、キリスト教徒などを招き、客人・友人として親しく付き合ったことをあげた。信仰や価値観が違っていても相手を認め合える、それが本当のイスラムの精神だと。一方で彼は、女性の立場について持論を語った。「女性は社会や家族に守られるべき存在だ」。女性は子を産み育て、家庭を守ることが大切な役割で、そのために男性の庇護下でこそ役割を全うできる。だから自立することは重要ではない。男性と同等に働くのではなく、女にしかできない役割を果たすべきだ。「男性には子供を産むことはできないし、家庭を優しく守ることもできない。それぞれの役割を果たすことが、良い家族や社会を作るはずだ」。父親は、欧米や日本の女性たちが自立を求められ、外で働かねばならず、とても疲れていてかわいそうだ、と続けた。

この日、ソフィアンとの間である約束があった。彼の秘密の仕事を見せてもらうのだ。「例のものを見せようか」。ソフィアンは私を、彼と弟の部屋に案内した。服が積み重なり、壁紙も剝がれかけ、いかにも男たちの空間といった乱雑な部屋だった。ソフィアンはどこからか布袋を取り出し、中身を大事そうに床に並べた。

それらは粘土製の花飾りやオイルランプ、石彫りの人物像などで、その装飾の細やかさから、一見して価値ある骨董品だとわかる。これらは彼がパルミラ遺跡周辺で秘密裏に掘り出したもので、彼はこうした品々を定期的にダマスカスの古物商に販売し、お金に換えていた。

パルミラの街外れに遺跡が残る古代都市パルミラは、一九八〇年に世界遺産に登録されたシリア最大の観光地のひとつだ。三世紀に滅びるまで東西交易の要衝として栄華を誇った。遺跡は東西六キロメートル、南北八キロメートルあまりの壮大な規模で、二〇世紀初頭に調査が開始されて以来、この時点で発掘が継続されていた。遺物が高値で売買されることを知ったソフィアンと仲間たちは、遺物を売って稼ぐため、闇に紛れて遺跡周辺を掘っていた。それは言うなれば盗掘だった。だがソフィアンは悪びれず、むしろ誇らしげに戦利品を見せた。細かい装飾が施された貴婦人の石像を手に、これは高く売れるだろうと嬉しそうだ。

ソフィアンが盗掘をしていると聞いたとき、彼が集めているのはきっと土器の断片や石のかけらなどだろうと考えていた。だが盗掘品を目にした私は、言葉を失った。それらは、パルミラの博物館で見たのと同じ、本当に価値があると思われる品々だったのだ。

これらは古代の貴重な証言者でもある。きちんと記録に残し、後世の人が見られるようにするべきでは？　そう話した私にソフィアンは答えた。これらが博物館に行こうが売られようが、シリア人の生活は何も変わらない。それより、これを買わないか。安くするよ。

そこへ父親が現れた。イスラムでは盗みを固く戒めている。信仰に篤《あつ》い父親はソフィアンの盗掘を責めるだろうと思われた。しかし意外にも、父親はソフィアンに、最近どんなのが見つかった？　と声をかけ、むしろ興味深そうに盗掘場所を聞いていた。なんと、ソフィアンの盗掘は、父親、さらには祖父から受け継がれたものなのだった。祖父や父親は若い頃、ヨーロッパ人が手がける遺跡発掘の作業員として働き、この仕事を覚えた。土地の人間にとっては価値がよくわからない地中の小さな遺物が宝のように扱われ、自分たちの関わりのないところで莫大な金額で転売されていくことに、やり場のない不公平を感じたという。この土地は我々が生きてきた土地だ。だから、この土地のものは我々のものではないか。先人が残したものを、我々が見つけて生活の糧にする。そのどこがいけないのか。それが父親の言い分だった。私たちの側から〝盗掘〟と呼ばれるその行為は、パルミラでは〝盗み〟とは考えられていなかった。「これはアリババ（アラビア語で泥棒を指す柔らかい言葉）ではないのですか……」。かなりの躊躇を経ておそるおそる尋ねると、父親はくるりと振り返り、不思議そうに答えた。「違うよ」。これらは自分たちが掘らなければ土の中で眠り続けるものだ。だから見つけたものが手にすればいい、と。

ソフィアンと父親は、収集物の中からバラの花をかたどった粘土製の飾りを選び、紙に包むと、今日の思い出に、と私に手渡した。

「今日は泊まっていきなさい」。帰り支度を始めた私に母親が言った。客人との別れの場でよく使われる言葉で、別れが名残惜しいことを示すため、あくまでも建前で相手を引き止める。

このとき、「じゃあ泊まります」と生真面目に答えるなら、断られこそしないものの、非常に嫌がられることになる。何度も礼を言って玄関をまたぐと、最後まで父親が見送ってくれた。また来なさい。そのとき私もあなたも元気で、そしてあなたがムスリマ（イスラム教徒の女性）になっていたら嬉しいよ。白い髭を揺らして、父親は笑った。

女たちの世界

アブドュルラティーフ一家の家はパルミラの街外れにある。少し歩けば周囲に、古いオアシスの雰囲気をとどめたナツメヤシの庭が続き、家畜が群れる荒れ地や、沙漠と街を隔てる果樹園がある。一家の父親ガーセムがこの土地に家を建てた頃、ここは荒野の一軒家で周囲には何もなかったそうだ。だがこの半世紀の間で周囲は様変わりし、今では立派な住宅地となった。ガーセムが半世紀前に建てた小さな家は、子供の成長とともに増改築を繰り返して拡大し続け、今では一一もの部屋がある。家はコンクリートブロックを積んで手作りし、電気も水道も全て自分たちで引いた。その家に、私が数えた限り、ガーセムとサーミヤの夫婦、その子供である一二人の兄弟（三人の姉と一人の兄は結婚してすぐ隣に住んでいる）、さらに一二人のうち結婚している五人の兄弟の妻や子供を含めると、二〇〇八年の時点で三七人が同居していた。その数は、年々子供が生まれることで増え、二〇一一年には四五人になった。さらにすぐ隣に暮らす三人の姉と一人の兄とその家族は、この家で調理や家事、食事をし、眠ることも多く、彼らを含めると、さらに三〇人ほどがこの家を拠点に生活していた。つまり、この家は、六〇〜七〇人ほどからなるひとつの大家族だった。

私はそのアブドュルラティーフ一家において、沙漠やオアシスで働く男の世界、そして大切な秘密のように家庭の内側に守られて暮らす女の世界の両方を見せてもらった。女の世界は、伝統や家族の価値観によって何重ものベールに覆われており、一観光客では知り得ず、女でなければ入り込むことのできない空間だった。私は何年もかけてそのベールの内側を覗いた。アブドュルラティーフ一家との最初の接点はラドワンとの出会いによるものだったが、次第に彼の姉たちや兄の妻たち、つまり一家の女たちが私を厚く受け入れてくれたのだった。一年目はよそよそしくて寄り付かなかった女たちも、二年目には一緒に調理をしてくつろぐ仲となり、三年目には涙を見せてくれたり、同じ寝室で眠った。生活を共にさせてもらうことで目にした女の世界は接するほどに色鮮やかになり、私はその深部へと引き込まれていった。

アブドュルラティーフ一家の女たちの日々はひたすら家事と育児に費やされ、ほとんど外出をせず、一年の大半を自宅の敷地内で過ごす。どんなに広く見積もっても家から半径五〇メートルが生活圏だ。買い物に出たり（買い物は男や子供の役割だ）、友人を訪ねることも稀で、ごくたまの外出も女性同士か夫同伴でなければならない。とにかく女は家にいて、いつ男が帰ってきてもいいように食事の準備をし、家を清潔に整える。男たちが自由にバイクで沙漠を走り、太陽のもとでお茶を飲み、牧歌的な時間を過ごす間、女たちは家の中であらゆる仕事をこなし、おしゃべりや昼寝を楽しむ。おしゃべりはたいがい誰がどうしたこうしたという他愛もない噂話だ。それでも広い家の掃除や少なくとも約六〇人分の調理や洗濯など、家事の忙しさたるや大変なものだ。一家では七人の女が共同で家事を行っていた。女たちは居間や小さな中庭に集っていつも口を動かしながら、絶えず手も動かす。子供をあやし、料理を作り、洗濯をし、裁縫をする。

そうした女の仕事を経験した結果、私はたった三日間で我慢の限界に達してしまった。それが途方もなく窮屈で、不自由に思えたからだ。一日を通して同じ室内に座り続けることは性分に合わず、土の上を自由に歩いたり、風や太陽の光を浴びたくてたまらなかった。だが女たちは子供の頃からこうした生活に慣れているため不満がなかった。女たちは現状に満足していた。男たちが自分たちのために汗を流して働いていることに感謝し、屋内で落ち着いた時間を過ごせることに幸せを感じている。ともすれば欧米的な男女平等論によって、イスラムの女性の権利は常に話題になる。しかし当の本人たちは、自身の身の上が「束縛」という言葉で語られることを奇妙に思っており、不満さえ感じていた。

ムスリム家庭では、女は男に尽くす良き妻であるとともに、子供を慈しむ良き母であるべきとされる。さらに良きムスリマであるため、信仰に忠実であること、特に性への慎みを持つことを求められる。その実践のひとつとして、頭髪をヒジャーブという布で覆い、夫以外の男性に髪を見せない。髪は女性の性的な部分、美しさの象徴とされるからだ。肌を出さず、身体の線が出ない服を着ることもムスリマの身だしなみだ。大切なもの、美しいものは慎みをもって覆うことが美徳とされるからだ。女たちは古い秩序を守るためにそうするのではなく、自分が敬意を払われるべき存在であることを示すため、自らを覆う。女たちはムスリマであることにアイデンティティを感じ、信仰生活を愛し、大家族のコミュニティの中で生き生きと暮らしていた。

アリアは、アブドゥルラティーフ一家の女性たちの中で最も心を通わせた女性だ。緑がかった目をし、目鼻立ちの整った美しい女性だった。ヒジャーブを頭に巻き、ゆったりとしたイスラム服を着ているが、端整な顔立ちや、すらりとした長身の姿は、ハリウッドの映画女優のようだった。彼女は一家の五男アーメルの妻で、当時二〇歳前後(正確な年齢は不詳とのこと)だった。パルミラでは両親が決めた相手と、それも親戚同士で結婚をすることが多かったが、アーメルとアリアは当時としては珍しい恋愛結婚だった。

馴れ初めは、沙漠でラクダの買い付けをしていたアーメルが、あるベドウィンのテントでアリアを見かけたことだ。アーメルはテントの奥にちらりと姿を見かけたその女性に一目惚れした。アーメルはすぐに求婚したが、アリアの父親は娘が街に嫁ぐことに難色を示し、娘の美貌も鑑みて、高額なマハルを要求した。マハルとは、ムスリム同士の結婚で、新郎が新婦の父に渡す結納金だ。内戦前の二〇一一年頃まで、パルミラでのマハルの平均額は、シリア人の平均月収である二万円の五倍、一〇万円ほどだった。しかしアリアの父が提示したのは三〇万円で、通常のマハルの三倍という破格の額だった。

　その驚くべきマハルの金額を知ったアーメルの父ガーセムは、結婚に反対した。マハルは高額、さらにベドウィンの女性ともなると、パルミラの街の女性とは文化も異なるからだ。しかしアーメルの決意は固く、彼はアリアを娶るために必死に働いた。その噂はアリアの父親の耳にも入り、いつしか父親の心を変えた。さらにアリアも、一途に自分を想うアーメルに恋をした。三年の歳月が流れ、アーメルはついに提示されたマハルを支払ってアリアを娶った。そうしてアリアは生まれ育った沙漠を離れ、パルミラの街にやってきた。

　生粋のベドウィンの娘として生まれ育った彼女は、沙漠の文化や家畜の世話には誰より詳しかった。だが学校に行かず、街の文化も知らなかったことでアブドュルラティーフ一家の女たちとは異なる雰囲気を持っていた。アリアは野性的で大胆だった。恥じらうことなくはっきり意思を示し、人前で泣き、男のように笑った。一家の女たちは男の前ではいつも控えめで、家族の前でさえ踊ったり歌ったりすることはない。だがアリアは恥じることも恐れることもなく、かつて沙漠のテントでそうしたように、目を閉じて抑揚をつけて歌を歌い、いつも自分の世界を醸し出していた。彼女はいつもベドウィンに伝わる同じ歌を歌った。それも歌いたいと思ったらところ構わずだ。その場にいた女も子供も、いつも驚きをもって彼女の歌を聞いた。アリアは一家に嫁いできた外国人のような立ち位置で、家族にとって異文化そのものだった。だがよく観察するうち、この家の女たちは皆、大なり小なりそれぞれ実家の異なる価値観を伴ってここへ加わっていることがわかった。

アブドュルラティーフ一家の中で忘れられない女性がいる。一家の長男ムハンマドの妻だったフォーザだ。彼女はおっとりした素朴な女性で、彼女の側に座ると空気までもが優しく感じられた。彼女はパルミラからバスで三時間ほど離れたホムス郊外の村から、親戚の紹介で嫁いできた。だが結婚して五年が経っても夫との間に子供ができず、離縁を迫られるようになった。

フォーザはムハンマドの二番目の妻だ。最初の妻はムハンマドといとこ同士で、両親の薦めで結婚したものの、近所の男性と恋仲になり、四人の幼い子供を残して夜逃げ同然で夫のもとを去った。妻に裏切られたショックからムハンマドは次の結婚を急ぎ、親族から紹介されたフォーザとの結婚をすぐに決めた。しかし数年経っても子供ができないこともあって、ムハンマドはフォーザとの生活をそれ以上望まなかった。

「神よ。どうか私から夫を奪わないでください。私は彼を愛しているのです」。フォーザは「夫」「ムハンマド」という言葉を祈りの中で繰り返し、涙を流していた。祈りはときに家族が集う居間の隅で行われ、それを目にする家族は沈黙して同情した。だが彼女の祈りは届かず、ムハンマドとフォーザとの離婚が決まると、フォーザは実家へ帰ることになった。

フォーザがパルミラを去る最後の日、彼女は一家の男たちに交じって果樹園でオリーブの実を収穫した。太陽がさんさんと降り注ぐ、いつもと変わらない、美しいパルミラの秋の一日だった。彼女は最後の一日をそれまでと同じく働いて過ごした。

彼女が去って数日後、一家の母親のサーミヤは、自分たちの家と隣接するフォーザとムハンマドが暮らした家に入った。ムハンマドはすでに数カ月前からここに住んでいなかった。そればかりかすでに新しい妻を決めていて、その女性のもとに四人の子供を連れ、県都のホムスで暮らし始めていた。フォーザは一人、この家に最後まで残ってムハンマドを待っていたのだ。しかし数カ月が過ぎ、もはや望みはかなわないと悟った。彼女の悲嘆はどれだけのものだっただろうか。ムハンマドは、あと数週間で新しい妻と結婚し、この家で新生活を始めることになっていた。

フォーザがムハンマドとかつて暮らした家。全ての部屋は整然と片付けられていたが、台所だけが掃除されていなかった。トマトやキュウリ、オリーブオイルを載せた皿が台所に残っていた。「フォーザは片付けていかなかった」。サーミヤはそれを見るなり少し怒ったように呟いた。

サーミヤと私は台所を掃除した。シンクを磨き、生ごみを片付ける。そうしながら私は、きれい好きで暇さえあればいつも掃除をしていたフォーザが、なぜ台所を掃除していかなかったのかが気になった。フォーザはおっとりしていて、決して強気な女性ではなかった。しかし、立ち去ることが本意ではない悔しさを、最後の抵抗として示したのではないだろうか。〝ここは私の場所だったのよ〟と。

「私の故郷はホムス郊外の村。畑があって家には牛もいるのよ。毎朝父と乳を搾るの。ホムスに来ることがあったら立ち寄ってね」

ホムスへと旅立つ日のフォーザの言葉だ。彼女を思い出し、その翌年、パルミラに来た私はフォーザの連絡先を尋ねた。しかし、一家の誰も彼女の消息を知らなかった。一度離縁し関係が切れたら、家族は瞬時に他人になるのだ。そうして大好きだったフォーザとは二度と連絡がとれないままだ。オリーブが実る秋が来ると思い出す。あの日、ハシゴの上で、オリーブの実を落としたフォーザの優しい眼差しを。

二〇〇八年から内戦が始まる二〇一一年までの四年間、私は毎年アブドゥルラティーフ一家を訪ねた。異邦人、異教徒である私を、彼らはいつも家族のように迎えてくれた。毎年別れの日が来るとガーセムは言ったものだ。

「『さようなら』ではなく、『ちょっと行ってきます』と言いなさい。また帰ってくるのだろう?」

生活は質素であっても、一家には生きる喜びがあり、祖先から受け継いだ伝統に生きていることへの誇りがあった。やがて自分たちがこの世を去っても、生きた証は子孫の血と文化に引き継がれていく。永遠に続くかと思われた豊かな日々が、そこにあった。

第三章

混沌のシリア

パルミラ　最後の日々

赤い太陽が沙漠に沈み、視界の全てに光が満ちる。沙漠が最も輝く時間だ。アブドュルラティーフ一家の十二男ラドワンと私は、幾度となくこうした夕暮れを眺めた。沙漠に生まれ育ったラドワンは、その暮らしに誇りを持っていた。「裕福ではないけれど、自分たちの生き方がある」。彼はよくそう語り、兄たちと同じようにずっとこの土地に生きていくことを疑わなかった。ラドワンはラクダが大好きで、暇さえあればラクダのことを考えていた。一家が所有する一〇〇頭ほどのラクダを、顔や毛の色、大きさから識別でき、彼に言わせれば会話もできた。ラドワンは朝夕のラクダの仕事がとにかく好きで、私に沙漠の美しさを教えてくれた。どちらからともなく、私たちは惹かれ合った。しかしその恋は、イスラム文化の色濃いパルミラにおいてはタブーで、許容されるものではなかった。パルミラでは、互いに恋焦がれていても、未婚の男女が近づくことはない。遠くから相手へ視線を送り、思いを確かめ合うだけだ。ラドワンと惹かれ合うほどに、私は彼とは文化がいかに違うかを知った。そして何より、ラドワンの人生が、彼の家族の人生そのものであることも理解するようになった。

アラブの伝統的な社会では、家族の幸せのために個人の幸せがあるとされる。婚姻も、個人の幸せの追求より、家族の存続が目的という意識が強い。文化や財産が確実に一族に受け継がれるよう、伝統的にいとこ同士など親族間で婚姻を結び、多くは親同士が相手を決める。男性は二五歳ほど、女性は一五歳から二〇歳ほどで結婚をし、男性は年下の女性を娶るのが普通だった。しかし私はイスラム教徒でもなければ、ラドワンより五歳年上だ。さらに彼には、幼少期に両親が決め、一度も会ったことがないという許嫁《いいなずけ》までいた。彼の属する文化が大きな壁となって立ちはだかっていた。私はアブドゥルラティーフ一家の女たちのように、屋内での女たちだけの世界では生きられないと思ったし、一方でパルミラの生活を離れたラドワンも想像できなかった。彼はパルミラで生きてこその彼で、私もこれまでの人生があってこその私だった。二人の背景はあまりに異なっていた。

私はこうした隔たりに苦しんでいたが、ラドワンはその心情さえ理解できないようだった。彼が生きる世界の外側を想像できなかったからだ。それが二人の今後の難しさを象徴していた。ラドワンへの思いを断ち切りたいとも思ったが、彼と過ごす時間はいつも特別で、満たされていた。やがて終わりが訪れるかもしれない。そう予感しながらも、私は自らその道を断ち切ることはしなかった。

経済的な事情もあって彼に会えるのは一年に一、二回。もともとアブドゥルラティーフ一家の生活風景を見せてもらい、撮影をさせてもらうために家に泊まらせてもらい、そこでラドワンにも会っていた。一家は快く私を受け入れてくれたが、長逗留しすぎては、外国人との過度な接触を理由に警察に目をつけられ、彼らの負担になってしまう。実際、私の滞在が理由で、警察に賄賂として毎年お金を支払わされていたらしい。そのため半月ほどがアブドュルラティーフ一家やラドワンと一緒に過ごせる限度で、ラドワンとはひたすら電話で連絡をとった。だが当時の一家は一六人の兄弟共有で一台しか携帯電話を持っておらず、電話してもラドワンにつながる確率は一六分の一だった。さらにラドワンはアラビア語や英語の読み書きができず、メールもできなかった。またパルミラには家の住所という概念がなく、手紙を送ろうにも住所自体が存在しなかった。これには閉口した。こうして、翌年にまた会えると信じ、一カ月に一、二度、電話でわずかに話せるか話せないかという遠距離の交際が続いた。しかし不思議と、互いを想う炎は消えなかった。

そうした私たちに、ラドワンの家族は戸惑いを隠さなかった。イスラムを信奉し、その教義を忠実に守る彼らにとって、私たちの関係は困ったものだっただろう。ラドワンの父親ガーセムは、私たちをやんわり諫《いさ》めた。結婚は一人と一人の関係ではなく、家族や社会との絆を背後に持つものだ。そして人は年月を経たとき、生まれた文化に帰属する日が必ず来る。だから同じ文化の者同士で結婚するのが、互いにとって幸せなのだと。

最初の二年、私がパルミラから去るときガーセムは言った。「次は夫を連れてきなさい」と。そのうち、「次は両親を連れてきなさい」と言い、やがて「イスラム教徒になり、一家のやり方を学びなさい」と言うようになった。一年ごとに、自分たちの文化を学ぶならと、一家は私を受け入れていった。その変化に喜びつつも、実際のところ、私は戸惑っていた。私は彼らと全く同じにはなれない。私には私が歩いてきた道があったからだ。

二〇一〇年一二月、ラドワンから電話があり、来年一月から彼が兵役にとられるということを知った。シリアには徴兵制があり、一八歳以上の男子に二年間の兵役が義務付けられている。先延ばしもできるが、多くは二〇代半ばまでに終える。徴兵中はシリア政府軍の一員として配属先の駐屯地で日々訓練に明け暮れることになる。情勢によっては前線に出ることもあるらしい。これから二年間はこれまでのようにラドワンと会えなくなるのだ。

一カ月後の二〇一一年一月、軍に入隊するラドワンを見送るため、私は急遽シリアを訪れた。彼と会うときはいつも、これが最後になるかもしれない、この先どうなるかわからないという思いがあったが、このときは特にその思いが強かった。

パルミラを訪ねると、軍隊に入る直前であるにもかかわらず、彼はいつものように沙漠でラクダの放牧をしていた。兄や友人から兵役の厳しい訓練について聞き、不安を感じつつも、新生活を楽しみにしていた。兵役は一家にとってごく普通のことで、一一人の兄がすでに兵役を終え、平穏な日々を送っている。ラドワンもまた、二年が過ぎれば再びパルミラに帰り、これまでと変わらぬ生活に戻れると信じていた。

ガーセムも二十代だった半世紀前に兵役を経験した。その頃のシリアは、元大統領の暗殺やクーデターが相次ぐ動乱期で、軍の規律も整っておらず、兵士は奴隷のようだった。二年の間休暇もなく、パルミラの家族に会いに帰ることはもちろん、連絡をとることもできなかった。「いい時代になった。兵役中でも家族と電話ができる。半年に一度、数日の休みをもらって故郷に帰ることもできる」とガーセムは言う。兵役は避けて通れないシリア人男性の義務のひとつで、終わってしまえばたいしたこともない。一家にとって兵役はそんな位置付けだった。唯一、母親のサーミヤが、末っ子のラドワンと離れる寂しさに涙を流していた。

別れが近づいたある日、ラドワンと私は沙漠でラクダの群れを追い、夕焼けを眺めた。沙漠の太陽は変わることなく、大地の底へと沈んでいった。夕空を見やりながら、ラドワンは言った。兵役が終われば落ち着いて自分の生活を考えられる。兄たちのように果樹園に小さな家を建てたり、鶏や羊を飼ったり、自分の生活を作りたい。だから、兵役が終わるまで二年待っていてほしい。二年後にまたここで、一緒に夕焼けを見たい。

その約束は、その日の太陽の鮮烈な赤色の記憶とともに胸に刻まれた。二年後、兵役を終えた彼と共に、この地に立つ私。遠い日々の向こうに二人の幸せな影を想像した。しかし、それは二度と果たされることのない約束となった。

二〇一一年一月、ラドワンは徴兵され、二カ月後の二〇一一年三月にシリアで民主化運動が発生した。やがてシリア各地で起きた武力衝突はとどまるところを知らず、内戦へと発展した。

内戦の始まり

シリアは一九四六年にフランスから独立した。以来、混乱と幾度かのクーデターを経て、ハーフィズ・アサド元大統領とその息子であるバッシャール・アサド大統領の二代にわたり、五〇年近い一党独裁体制が敷かれてきた。バッシャール・アサド大統領は二〇〇〇年の就任当初、より民主的で新しい政治を遂行するだろうと期待された大統領だった。もともと英国で医師をしていたが、ハーフィズ・アサド大統領の後継者とされていた兄が交通事故死したことで急遽帰国し、その後大統領に就任した。実際、彼の就任当初は多くの政治犯が釈放され、「腐敗撲滅」を政治スローガンに掲げた民主的政策が進んだ。しかし、アメリカ同時多発テロが二〇〇一年九月に起きると、次第に父親と同じ強硬路線がとられるようになった。一説には、シリアでのイスラム過激派の台頭を恐れたからだとされている。言論の自由は徐々に制限され、市民は秘密警察の監視下に置かれた。密告者やスパイが至るところで目を光らせ、政権批判をする者は政治犯として容赦なく逮捕された。

市民はハーフィズ・アサド元大統領の治世から改革を訴えてきた。国民の九割を占めるイスラム教徒のうち、大統領一派を擁する少数派のアラウィ派（シーア派の一派）が政権を独占して優遇を得ており、それに対する多数派のスンナ派からの不満も大きかった。市民は、宗派による優遇の廃止、自由な政治参加などを求め、民主化を掲げた運動をたびたび起こした。しかしその都度、政権により潰された。なかでも一九八二年に起きたハマ大虐殺は悪名高く、少なく見積もっても約二万人の市民が殺害された。その歴史から、人々は政治に距離を置くことを学んだ。命を永らえたいなら、声をあげてはいけないと。だが抑圧された不満は消えることなく、人々の心のうちに存在していた。やがてひとたび火がつくと、それは容易には消せない巨大な炎となって燃え広がった。

二〇一〇年から二〇一二年にかけ、大規模な反政府運動がチュニジア、リビアなどのアラブ諸国で発生した。巨大なうねりとなって社会改革を叫ぶ人々の波。それは数十年来の独裁政権を次々と崩壊に追い込んだ。一連の動きは「革命」と謳われ、「アラブの春」と呼ばれた。二〇一一年三月、シリアにもその波が押し寄せた。

その頃、シリアでは誰もがテレビで、アラブ諸国で展開される反政府運動を目にしていた。それがシリアにも飛び火するのは時間の問題だった。しかしどこで誰がその火を最初につけるのか。人々は状況を注視しながらも、弾圧を恐れ、様子を見守るにとどまっていた。

シリア南部、ヨルダンとの国境に近い街ダラア。二〇一一年二月、この街で、後にシリアの歴史の分岐点となった事件が起きた。一四歳前後の少年たちが学校の外壁に、赤いスプレー缶で落書きをしたのだ。「次はお前の番だ、ドクター」と。ドクターとは、父ハーフィズに後継者として指名されるまで眼科医だったバッシャール・アサド大統領を指していた。

子供たちにとっては、軽い気持ちで行った単なる落書きだった。しかし、国中に監視網を張り、国民の言動を監視していたシリアの体制は、それを見逃さなかった。住民の通報によって駆けつけた秘密警察が関わった子供たちを捜し出して連行し、投獄したのだ。そして執拗な脅迫と拷問を加えた。「不適切な言葉を公衆の面前に書いた罰として」子供の爪をはがし、殴打し、非を認めさせ、二度としないと約束させた。それから二六日後にようやく子供たちが親元に帰されたとき、彼らはあざだらけで、ひどい拷問の痕が身体中に残っていた。

親たちは抑えがたい怒りにかられ、路上に出て訴えた。拷問を受けた子供たちの映像がインターネットで出回ると、政権への反発感情は高まり、政治改革の要求を掲げたデモがダラアで相次いだ。こうした動きに対し、政権は妥協せず、警察は人々を威嚇するため発砲した。やがて死傷者が出ると、さらに人々の怒りは膨れ上がり、運動は過熱した。こうしてダラアで火がついた体制への抗議運動は、その後、同時多発的に次々とシリア各地で発生した。人々は弾圧を恐れて沈黙することを止め、声を上げることで状況を変えようとしたのだ。機はすでに熟していた。きっかけさえあれば、いつそれが起きてもおかしくない状況まで人々の不満は高まっていた。こうしてシリアの民主化運動は始まった。人々はデモを繰り返すことで政治や経済の民主化改革を要求した。

一方で政権側は、警察や軍隊を投入して武力弾圧を繰り返した。武力を行使すれば市民を萎縮させることができると考えたのだ。だがそれは逆効果だった。力で抑えられれば抑えられるほどに人々の抵抗は倍増し、やがて弾圧による犠牲者が増えると、市民は身を守るために武装を始めた。シリアではもともと銃の所持が認められており、男性は徴兵制によって武器の使用経験がある。さらに、弱者の救済や正義を追求するイスラムの価値観もあり、人々が武器を手にするハードルは決して高くなかった。武器を手にした市民たちは、反体制派の武装組織として、「自由シリア軍」を結成。体制側に武力で対抗するようになった。こうしてシリアは、体制派・反体制派の泥沼の武力衝突に突入した。数カ月前まで、シリアの誰もが想像さえしていなかった内戦の始まりだった。

ダマスカス　混沌の兆し

民主化運動の発生から一年。シリアでは各地で武力衝突が相次ぎ、内戦状態と報道されていた。そんななか、私は二〇一二年三月にシリアに降り立った。二〇〇八年以来継続してきた沙漠の暮らしの撮影のためだ。そしてチャンスがあればラドワンに会いたかった。治安への不安はあったが、事前にシリアの友人に聞いた情報――都市部から離れれば問題ない――を鵜呑みにしていた。

しかし現実は違っていた。私は入国して初めてその緊迫した状況を知ることになる。最初に違和感を覚えたのは、ダマスカスの空港に到着して間もないときだ。以前とはどこか雰囲気が異なっている。これまで、「シリアへようこそ」「ウェルカム」と笑顔で迎えてくれた空港職員に、外国人と距離を置こうとする警戒心が感じられた。まもなく私は、二人の警官によって別室に誘導された。二人は短い口髭を生やし、艶のあるクリームで黒い髪を固めていた。アラブ独特の、香りの強い香水をつけている。警官は私に断りもなく荷物を開き、隅から隅まで中身を引っ張り出して確認した。そのうち数台のカメラを見つけると、表情が変わり、目がぎらりと光った。それから二時間以上にわたって尋問が続いた。カメラで何を撮るのか。彼らはそれを執拗に問いただした。外部の者によってシリアの混乱が拡散されることを、恐れているようだった。

実際、多くのジャーナリストが同時期にシリアに入国していた。本来ジャーナリストは取材活動が許可される特別なビザが必要だ。だがそれを手にすると、常に体制側の監視が入ることになる。それを嫌って、ほとんどのジャーナリストが観光ビザで入国し、取材していた。シリアの体制側もそれを承知しており、メディア関係者と疑わしい外国人を厳しくチェックした。私は中東各地で撮影した写真を警官に見せ、内戦の報道ではなく、土地に生きる人々の姿を撮影したいと話をした。しかし彼らは首を縦に振らず、入国してもいいがカメラは全て没収すると言う。だがそもそも、ここでカメラを没収されても新しいカメラを買うことができる。それに携帯電話でいくらでも市民が撮影できる時代だ。没収という行為に全く意味がないと思いつつ、なんとか手元にカメラを留める方法を考えた。

手帳からある写真を取り出した。当時、写真を学ぶ傍ら、東京郊外の牧場で働いていた写真だった。汗を流し、牛たちに舐められながら、赤いツナギを着て牛舎の中に立つ私の写真。私は彼らに、牧場の仕事について力説した。乳牛の管理、乳搾りや糞の掃除、羊の毛刈りについて。すると警察官の一人が自分の家にも牛がいると言い、表情を和ませた。そのうち私情が入ったのか、カメラは没収されないことになった。だが最後に警官は言った。「今シリアで起きていることを知っているね？」。頷く私に彼は続けた。「シリアでは、自分の行動に責任を持つ必要がある。わかるね？」。実に意味深な言葉だった。この一件で、今のシリアで写真を撮ることがいかに危険かを理解した。

空港から市街地へとバスは走る。一年ぶりに見るダマスカスの街。通りは人で賑わい、色とりどりの野菜や果物が所狭しと並べられ、活気に満ちている。一見していつものダマスカスと変わらないように見えた。

街の中心部に安宿をとった後、アブドュルラティーフ一家に電話をかけた。それはシリアに到着した日の毎回の儀式のようなものだ。今回も、シリアに入国したことを報告し、いつ一家を訪ねていいか相談するつもりだった。

電話をとったのは父親のガーセムだ。少ししわがれた、あの懐かしい声が受話器から聞こえた。

「おお、よく来たね、家族は君を恋しく思っているよ」。電話越しに、彼はいつものように私を迎えてくれた。家族もみんな元気で、今年になって三人の赤ちゃんが一家に生まれたよ。そうした和やかな話の後で、彼は少し間を置いて声色を変えた。「すまないが今年はうちに来ないでくれ。外国人との接触は、危険だ。家族の安全のためだ」。

思いがけない言葉だった。状況を理解するのに数秒かかり、それからようやく我に返った。ガーセムは多くを語らなかったが、民主化運動への取り締まりが強化された今、外国人と市民の接触はスパイ行為が疑われる可能性があった。シリア国内の混乱は確実に人々の暮らしを蝕みつつあり、それは都市部だけでなく、沙漠で放牧を生業とする家族にまで押し寄せていた。パルミラでも、昨年から何度も民主化デモが起き、それを軍隊と警察とが武力で鎮圧して死傷者を出していた。その頃のパルミラでは銃弾が飛び交い、街の周囲の幹線道路は軍の戦車によって占拠され、ガスや食料の供給も止まっていた。つまりは、外国人の私が生活の撮影に行けるような状態ではもはやなかった。周囲を沙漠に囲まれたパルミラでは、ライフラインを押さえられると生活が維持できない。政権に盾突く者だけでなく、全市民に圧力をかけ、政府の力を誇示する作戦だった。

こうしたパルミラの情勢を教えてくれたのは、ラドワンと共通の友人たちだ。彼らは数週間ほど前に日本から電話をかけた私に、「シリアでは何も起きていない」と話していた。だがダマスカスで直接顔を合わせると、「シリアでは大変なことが起きている」と全く反対の話をした。シリア国内で電話が当局に盗聴されているのは周知の事実らしく、誰も電話で余計な話はしないのだと後になって事情がわかった。「当たり前だろ、電話では何も言えないよ」。そんなことも知らなかったのかと友人は笑った。

空港での執拗な荷物検査、アブドゥルラティーフ一家の父親ガーセムの外国人への警戒。そしてシリア各地での戦闘の激化、当局の監視。シリアに入国してまだ二日だったが、この国の異常な変化に動揺せざるを得なかった。毎年写真を撮らせてもらっていたアブドゥルラティーフ一家にも会えず、外国人という立場から一般市民との接触も難しい今、ここで何ができるだろうか。私にできることは内戦へと突入していくシリアを目撃し、そこでの人々の暮らしを記録すること。そして、戦闘の最前線にではなく、市民の日常の中に内戦の影を見出すことだ。私はシリアで予定していた三カ月間を、パルミラではなく首都のダマスカスで過ごすことに決めた。

一週間後、友人からラドワンの消息を得た。最後にラドワンと会ってから一年。彼は今、ダマスカスの駐屯地に配属されているという。市民を取り締まる側の政府軍に身を置くラドワンの立場を考えると、外国人である私と会うのは危険だった。そう知りながら、ラドワンが同じダマスカスのどこかにいると思うだけで胸が高鳴った。

ダマスカス旧市街に位置する壮麗なウマイヤドモスク。八世紀に建設された現存する最古のモスクで、時代を超えて多くの巡礼者を集めてきた。そのモスクにほど近い一角に部屋を借りた。建物は築三〇〇年の伝統的なアラブ建築で、噴水のある中庭を囲むように部屋が連なっている。私の部屋は細い路地から階段を上がった二階の一室で、六畳と八畳ほどの広さの二部屋に台所とシャワールームがある。電気代、水道代込みで家賃は二万円。ダマスカスでは中程度の部屋だ。数年間誰も住んでおらず、鍵やトイレのドアの修繕が必要だった。ラドワンの代わりに彼の友人たちが協力してくれ、壁にペンキを塗ったり、壊れたドアを直してくれた。彼らの身の上は学生、出稼ぎ中、無職と様々で、生活費を抑えるため十人ほどで共同生活をしている。うち数人は、民主化運動に参加したことで警察に追われ、逮捕を恐れてダマスカスに潜伏していた。

そうこうしているうち、共通の友人を介してラドワンと連絡がとれた。彼の身に危険が及ばないか心配だったが、〝周囲の目に十分配慮して会えば大丈夫〟とラドワンからの伝言をもらった。

私たちはダマスカスの旧市街の小さな喫茶店で待ち合わせをした。待ちに待った瞬間だった。毎回そうだったように、時間よりだいぶ遅れてやってきた彼は頭を丸刈りにしており、以前より痩せて見えた。青い横縞のポロシャツにジーンズ、サンダルといったラフな出で立ちだ。彼はあえて私の席の斜め向かいに座り、「遅れてごめん」と笑いながら、偶然その場で会ったかのような素振りをした。軍人と外国人の接触というタブーに対し、配慮しているようだった。目の前に現れたラドワンに胸がいっぱいになり、言葉がうまく出てこなかった。互いにはにかんだ後で、私はいかに昨年と全てが変わったかを口にした。

パルミラの家に電話したが、父親ガーセムに家族の安全のために来ないでほしいと言われたこと。パルミラで戦闘が激化していると聞いたこと。そうした話を始めたところ、ラドワンはおもむろに話をさえぎった。ダマスカスではひき肉が詰まった揚げ物、キュッペが名物とされていて、とても美味しい。チョコレートの入ったクロワッサンも名物で、「ベグダッシュ」という店のピスタチオのたっぷり乗ったアイスクリームも名物だ……、と。彼の話は全くどうでもよいことばかりで、逆に違和感を覚えた。ラドワンはしきりに人目を気にしているように見えた。

それから私たちは喫茶店を出て、数メートル離れて黙って歩いた。そして周囲に人がいなくなったことを確認すると、ラドワンは堰《せき》を切ったように一気に話し始めた。シリアは今、普通の状態じゃない。ああいう話を公衆の面前でしちゃダメだ。ダマスカスでは、みな何が起きているかを知りながら、あえて何も知らないふりをしている。秘密警察が監視の目を光らせているからだ。密告者もあちこちにいる。とにかく言動に注意して、特に政情については何も口にしないでくれ。

ラドワンの話で全てを理解した。一見平和に見えたダマスカスの雰囲気は、意図的にそう演じられているだけだった。そしてそう演じることで、人々は身を守っていた。それは一兵士であるラドワンとて同じで、彼は私と街を歩くときは通常一〇メートルほど距離を保って移動し、レストランや喫茶店でも決して同じ席に座らなかった。スパイ活動に加担しないよう兵士の外国人との接触は禁止され、見つかれば重大な罰則を受けるからだ。

それでも私たちは、周囲に細心の注意を払って会い続けた。ラドワンは人がいないところで、情勢への不安を口にした。軍隊と市民との衝突が頻繁に起こるようになり、自分も近いうち実戦に駆り出されるのではないか。上官の命令があれば、ラドワンは民衆に銃を向けなければいけなかった。彼は、そういう日が来ることを恐れていた。

二〇一二年五月、内戦による市民の犠牲者は日に日に増え、国連は〝もはやシリア内戦の死者数の推計は不可能〟と発表した。止むことのない武力衝突に懸念を抱いた国連は、コフィ・アナン前国連事務総長を国連・アラブ連盟特使としてシリアに派遣。停戦の合意に導くため、アサド大統領と和平交渉を重ねた。

この動きに多くのシリア人は期待した。アナン氏は政権側・反体制派双方の武力行使を諫め、一時的に停戦の合意に導いた。事態は収束へ向かいつつあるかに思えたが、その約束はすぐに双方によって破られ、交渉は失敗に終わった。

「シリア人が助けを求めているにもかかわらず、国連安保理では非難の応酬が続いている」

「大国は全てのシリアでの新たな死に対し責任を負うことになる（AFP通信二〇一二年六月）」

アナン氏は足並みの揃わない国際社会を強く非難すると、国連・アラブ連盟特使を辞任し、シリアから去った。

当時、シリアではアサド政権側と反体制派それぞれの背後に、利権を伴う外部勢力の影があった。この時期のシリア政府の後ろ盾としては、経済的、歴史的に関係の深いロシア、中国、また政権中枢と宗派が近いシーア派のイランがいた。一方、反体制派の背後には、民主化プロセスの支援と称してアメリカが、さらにスンナ派のサウジアラビア、トルコ、カタールなどが控えていた。

アナン氏による和平交渉の失敗は、国際社会をしても状況打開が難しいという深い失望をシリアの市民にもたらした。和平交渉に一《いち》縷《る》の望みを抱いていた人々も、この時期を境に武力行使に唯一の解決策を見出すようになった。ラドワンを介して知り合った友人、弁護士のアフマッドもその一人だ。パルミラ出身、ダマスカスの大学で法律を学んだアフマッドは、苦労しながら三〇歳で弁護士となった。シリアで弁護士の数はさほど多くなく、彼にはエリートとして法曹界で生きる選択肢があった。しかし彼はその道を選ばなかった。

「法は、市民が国家を信頼してこそ初めて機能する。今のシリアには、国家に正義がない。法もないに等しい」。アフマッドは、武力で国民を支配しようとする政府に失望していた。さらにその思いは、シリア問題に対する国際社会の足並みの不一致で拍車がかかった。アフマッドは平和的な手段を見失い、追い詰められていった。そして武器を手にすることでしか、この国の未来を変えることはできないという信念を持つに至った。こうして多くの若者同様、アフマッドもまた、武器を手に戦場へと向かった。

サーメル兄の逮捕

銃撃戦や爆発がたびたび起こってはいたが、ダマスカスは比較的平穏で、変わらぬ日常が続いているかのように思えた。しかし内戦はじわじわと進み、人々の日常には変化の兆しが現れていた。アフマッドのように昨日まで一緒にお茶を飲んでいた友人が、今日は反体制派の兵士として戦地に身を置いたり、民主化運動に参加した罪状で逮捕されていた。

その日、私の部屋にはラドワンを含め十人ほどの友人が集っていた。週に数回、私は自宅に友人たちを招いていた。お茶を飲んだり、昼食を皆で作って食べる和気あいあいとした集まりで、シリアの実情を知ることができる貴重な機会でもあった。

昼過ぎ、いつもの仲間が集まり、私たちは砂糖がたっぷり入ったアラブコーヒーを手に語った。近所の菓子店から買ってきたアラブ菓子の包みを開いているときだった。友人の一人が携帯電話をラドワンに手渡した。ラドワンの家族からのようだ。ラドワンは冗談を言って笑いながら電話を受け取ったが、その表情から笑顔が消えた。ただならぬことが起きたのだと一同は理解し、たちまち場の空気が変わった。それは、ラドワンの兄サーメルが警察に逮捕されたという知らせだった。

二〇一一年三月、シリアで民主化運動が起きると、パルミラでもアブドュルラティーフ一家の六男サーメルと九男ジャマールが運動に参加した。政治への不満というより、何をするにも賄賂が必要で、法よりコネや権威で動く警察や行政に不満があった。サーメルやジャマールをはじめ、運動に参加する者の多くが若者だった。彼らは、政権批判をすることのリスクを深く考えておらず、むしろ、シリアも他のアラブ諸国同様、大多数の市民の声によって「アラブの春」と謳われた民主化プロセスへ突き進むことを信じていた。だがシリアが他国と同じ歴史をたどることはなかった。

人々にとって想定外だったのは、軍隊が躊躇なく市民に銃を向けたことだ。そして民主化運動に参加するだけで国家反逆罪として逮捕の対象になったことだった。運動に参加した若者たちの多くは、警察の追及を恐れて、布で顔を覆っていたが、内通者や密告者も多く、身元はすぐに割れた。サーメルとジャマールも同様だった。二人は何度かデモに参加し、いわば烏合の衆の一員として街の大通りを練り歩き、「シリアに自由を」と叫んだだけだった。だが数日して、彼らは自らの身に危険が迫っていることを悟る。二人は逮捕を恐れ、パルミラの郊外に広がる沙漠に逃亡した。

沙漠での逃亡生活は、同じ事情を抱える数人の仲間が一緒だった。だが一カ月、半年と時が経つうち、逃亡生活に疲れて一人、また一人と沙漠を去り、国外へ逃れていった。そしてサーメルとジャマールの二人だけが残り、多くの日々を沙漠のベドウィンに匿《かくま》ってもらった。沙漠では、助けを求める者は誰であっても無条件で手を差し伸べ、水や宿を提供するという古くからの伝統があったからだ。兄弟は昼間は眠り、夜の間に闇に紛れてバイクで移動した。食料やバイクの燃料は、パルミラから一家の兄弟が交代で秘密裏に持ってきた。こうした秘密のネットワークと沙漠の伝統、放牧で得た知恵に守られ、彼らの逃亡生活は一年以上続いた。

やがて九男のジャマールは疲弊し、安全を手にするためヨルダンに逃れることを望んだ。だが六男のサーメルは頑として首を縦に振らず、パルミラ周辺にとどまることを主張した。パルミラには、彼の妻や小さな子供がいたからだ。沙漠の逃亡生活の心の支えは、家族の存在だった。

逃亡から一年。サーメルは数カ月ぶりに、家族が同居する一家の家に戻ることを計画した。それまで定期的にサーメルを追跡していた警察が、ここ数カ月間姿を見せていなかったことから、警察が自分への興味を失っているだろうと考えたからだ。家族に会いたい一心で、サーメルは実家に帰った。

滞在はほんの数日間のつもりだった。近隣住民の目をくぐり抜け、深夜に帰宅したサーメルは、その日、懐かしい家族と再会し、心ゆくまで手料理を食べた。翌朝、ゆっくり起きたサーメルは、遅い朝食を食べ、その場でイスラムの祈りを捧げた。

そのとき外が騒がしくなった。家族が様子をうかがっている間に、突然数人の警官が土足で居間に現れた。玄関の戸は内側から施錠されていたが、彼らはそれを壊して入ってきたのだ。居合わせた家族は凍りつき、一瞬のうちに理解した。サーメルは逮捕されるのだ。イスラムでは、どんな理由があっても祈りを途中で中断するのは良くないこととされるため、サーメルは祈り続けていた。その彼を警官は無理やり連行しようとした。そこで父親ガーセムが制止し、せめて祈りが終わるまで待ってほしいと懇願した。警官はしぶしぶ応じ、サーメルの背後で睨《にら》んだまま、祈りが終わるのを待っていた。家族は恐怖のあまり沈黙した。やがて祈りを終えたサーメルは観念したように身体の力を抜き、家族をじっと見た。そしてすぐに警官に囲まれ、連れていかれた。彼は最後に家族に言い残した。「妻と幼い子供を頼む。必ず帰ってくるから」。その姿が見えなくなると、誰からか嗚咽が始まり、最後は家族全員が大声で泣いた。サーメルは二九歳、罪状は国家反逆罪だった。二〇一二年五月のことだ。

ラドワンは電話を切ると、力が抜けたように横になった。そして虚ろな目で黙って天井を見ていた。数時間、言葉を発することもなかった。私は今起きていることを記録するため、そのときの彼の表情を写真に撮った。友人たちは彼に言葉をかけなかった。彼らも皆、身近に逮捕者が出ており、こういう場合の励ましは無意味で、放っておくしかないと考えていたからだ。その場の一人が呟いた。「神が彼（サーメル）と共にいてくださる」。

その夜、ようやく落ち着きを取り戻したラドワンは兄への心配を言葉にした。「逮捕されると最初の一週間はひどい拷問を受ける。兄さんは今、どんなに苦しい思いをしているだろう」。シリアでは、一度逮捕され、収監されると、罪状にかかわらず拷問を受けて死亡する可能性もあった。その後の行方も収監期間も、さらには生死さえも家族に知らされることはない。サーメル兄も運が良ければ帰ってくる、それを祈ることしかできない状況だった。ラドワンは、内戦前のシリアには侵しがたい領域があり、それは政治への批判だったと語った。「アラブの春」のはるか以前、もう数十年前からのことだったそうだ。

それから数日後、入れ替わるようにソフィアンが釈放されたことを知った。内戦前の二〇〇九年、沙漠で共に鳩を捕り、夕食に招いてくれたソフィアンは、翌二〇一〇年に逮捕され、刑務所に入っていた。パルミラ遺跡での盗掘がついに発覚すると、相次ぐ盗掘者への見せしめのため、ソフィアンは通常よりも重い刑を受けたそうだ。この出来事にソフィアンの父親はすっかり元気をなくした。ソフィアンがどこに収監されているかわからず、会うことはおろか、いつ釈放されるのかさえわからなかったからだ。父親はショックで家に閉じこもりがちになり、やがて病に倒れた。

それから二年の年月が流れ、父親は何度か危篤状態に陥った。先が長くないことを察した彼は、一目息子に会いたいと懇願し、自ら警察署や思い当たる刑務所に足を運んだ。しかし依然ソフィアンの消息はつかめず、父親は失意のうちに亡くなった。

その半年後、釈放されたソフィアンがパルミラの家に戻った。突如目の前に現れた息子を前に、母親は泣き叫びながら父親の死を伝えた。するとソフィアンは、すでにそれを知っていたと答えた。

刑務所の中でのある夜。ソフィアンは父親の夢を見た。父親はしきりに自分に何かを言おうとしている。それまで刑務所で父親の夢を見ることは何度もあったが、この日の夢は何かが異なり、強烈な印象を残した。目覚めたとき、ソフィアンは悟った。父親に何かが起きた。そして魂となって自分へ会いにきたと。

刑務所に収監され味わった二年間の孤独と絶望、そして別れの言葉をかけられぬまま父親を亡くした喪失感は、ソフィアンを反体制運動へと突き動かした。刑務所を出たソフィアンはパルミラでのかつての暮らしに戻ることはなく、かなり早い段階で反体制派の兵士となった。その後、反体制派勢力が次第に力を失うと、彼は強烈な軍事力を背景にシリア北部に現れたＩＳ（イスラム国）に加わった。

反体制派の兵士となった弁護士のアフマッドや鳩捕りをしたソフィアン。逮捕されたサーメルやその家族であるアブドュルラティーフ一家。そして政府軍の一員として苦悩するラドワン。ほんの一年前までいつもと変わらない日常を送っていた人々が、こうして内戦によって平穏な生活を奪われていった。その変容を近くから目撃した私は、自分に何ができるのかを考えるようになった。

そうした葛藤のなか、ある写真家と出会った。ダマスカスを拠点に活動するイギリス人のジョンだ。彼はもう二〇年近くシリアに住み、観光地や商業施設、農家などの幅広い写真を撮っている。シリア政府の仕事も数多く手がけ、政府と太いつながりもあった。そのため、当時は一切の政治的な言動を慎み、外出を控えていた。政権批判などしようものならここで生きられなくなる。ジョンはユーモラスに前置きした。

その彼が、「シリア政府は、銃よりもむしろカメラを持つ者を厳しく取り締まっている」と話した。なぜならカメラは銃よりも大きな力を持つからだと。カメラで撮った写真は、情報として世界に拡散される可能性があり、人の心を変え、人生を変え、世界を変える力になり得る。

だからシリア政府はカメラを恐れ、ジャーナリストの活動や情報の拡散を血眼になって規制しているのだ。

その話を聞きながら私は改めて思った。私が今、ここにいることの意味は、この場所での自分の体験を伝えるということではないか。これまでは、草原や沙漠など風土に根づいた暮らしを撮影していたものの、内戦や難民などの政治的なテーマを持ってはいなかった。しかし人々の日常が崩壊していくのを目撃したことから、当たり前の日常にこそ人の暮らしの本質があるのだと気づかされた。内戦下の暮らしを記録し、伝えたい。私は首から下げていた愛用のフィルムカメラを固く握りしめた。

モダール事件（一）　見えざる侵入者

二〇一二年四月のある日のことだ。早朝、突然の爆発音と建物の揺れで目が覚めた。寝ていた借家の天井の一部はその衝撃で剝がれ落ち、埃が舞った。まもなくして誰かがドアをノックした。この部屋の大家であり、上の階に住む青年モダールだ。彼は、爆発が三〇〇メートル先で起きたと話し、屋上からその様子を見ないかと誘った。

私は部屋に鍵をかけ、屋上に上った。モダールが指差すほうを見ると、見覚えのあるビルに巨大な穴が開き、無残に半壊していた。黒い煙がもうもうと立ちのぼっている。ビルの前に止まっていた車が爆発したそうだ。周囲の屋上という屋上には大勢の人が立っていた。みな不安そうに爆発の方向を眺めている。

私の部屋の真上にあたるこの屋上は、十畳ほどの広い空間だった。大家のモダールは観葉植物やソファーをここに運び、憩いの空間にしていた。彼はタバコを吸いながら湯を沸かし、私にお茶を勧めた。モダールは二十代半ばでダマスカス郊外の村の出身だ。いつも白いランニングシャツにジャージのズボンといった出で立ちで、一族がダマスカスに持つ不動産の管理を仕事にしていた。その収入で生活は安定しているようで、日中は決まった仕事をせずに家で過ごし、夜になると服装を整えて街へ出ていく。

モダールは、ズボンのポケットから財布を取り出すと、そこから大切そうに何かを取り出した。年老いた男女がきりりとした表情で写っている色あせた写真だ。「僕のパパとママだよ」。そう言うと、彼は写真にキスをして微笑んだ。シリア人は家族を愛し、特に両親を大切にする。彼もまた、そうした典型的なシリアの若者の一人であるようだった。そのうち故郷の村に帰り、兄の雑貨店を手伝って働くつもりだとモダールは言った。実家には牛や羊がいて、春は野に花が咲き、美しいところだという。そんな彼の故郷の話を聞きながら甘いお茶を楽しみ、私は自室に戻ろうとした。

朝食は目玉焼きにしよう。そんなことを考えながら鍵を鍵穴に入れると、一体何が起きたのか、なぜか扉が開かなかった。さっきまで何の異常もなかったはずだ。何度やっても結果は同じで、困って立ち往生していると、モダールが降りてきた。彼に事情を話したところ、鍵屋の連絡先を教えてくれ、一緒に電話をしてくれた。ところが朝早かったため、修理に来られるのは三時間後だという。するとモダールは、いい方法がある、待っていてくれと言い残して姿を消した。

やがてモダールは意外なところから現れた。五分も経たぬうちに、私の部屋の扉の内側からだ。屋根をつたって隣の空き家に入り、通気口を外して私の部屋に入ったという。このとき私は、彼のあまりの手際の良さに、なんともいえぬ違和感を覚えた。いとも簡単に部屋に入れたことに疑念を持ったのだ。

礼を言うと、彼は「どういたしまして」と上の階へ戻っていった。それから私は、疑念を払拭するべく、モダールの行動を検証することにした。彼が侵入に使った通気口は一辺が四〇センチに満たない小さな窓で、木の枠組みに鉄線を張ったものが埋め込まれている。外側の木の枠組みを外しさえすれば、簡単に侵入できる穴となり得る。通気口の下には崩れた壁の土がパラパラ落ちていた。それをほうきで片付けながら、私ははっと思い出した。以前にも同じように崩れた土を片づけたことがあった。そのときは気づかなかったが、誰かがこうして侵入していたのではないか。嫌な予感がした。

私はすぐさま、秘密の場所に隠していた貴重品袋を確認した。そして目を疑った。何ということだろう。現金がごっそり消えていたのだ。

二〇一二年から、シリアではATMでの現金の引き出しができなくなっていた。市民への武力行使が非難され、欧米による経済制裁を受けたからだ。そのため私は、滞在費として日本から現金を持ってきていたが、そのほとんどを紛失したのだった。

心を鎮め、まず水を一杯飲んだ。ほんの少し部屋を離れる際も貴重品を持参するべきだった、しまったと思った。鍵をかけたことで安心してしまった不注意な自分を責めた。

すでに犯行は起きた後だが、盗られたことは事実だ。現金は、昨日の午後に確認したとき、確かに全てあった。その後で誰かが盗んだなら、さっき扉を開くという名目で部屋に入ったモダールが犯人ではないか。この部屋への入居の際、鍵を一新していたことから考えても、やはり扉以外の場所から侵入され盗難に遭ったとしか考えられなかった。だとすれば、建物の構造に詳しい人物に違いない。モダールへの疑念はほとんど確信に変わろうとしていた。

私は助けを求めて、ある友人に電話をした。ラドワンと同様パルミラ出身で、ダマスカスで職探し中のサアドだ。ラドワンの兄のような存在で、これまでも通訳や部屋の修繕で世話になっていた。盗難に遭ったことを話すと駆けつけてくれ、モダールとの会話の通訳をかって出てくれた。

モダールを前に、単刀直入に私は問い詰めた。「お金が盗まれ困っている、あなたが部屋に入って盗ったのではないか」。モダールは笑って否定すると、〝話にならない〟といった様子でその場から離れてしまった。結局、それ以上の話はできなかった。私は警察への相談も辞さないと考えており、サアドはそうした相談にものってくれた。

ところがその翌朝、事態は急展開した。朝食後、買い物に出ようと財布の中身を確認した私は、現金がほとんどなくなっていることに気づいた。何が起こっているのかを理解するまで、数分かかった。昨日盗難に遭ったことを知って騒いだ後で、さらに盗難に遭ったのだろうか。だが、おかしい。昨日はあの盗難の後、貴重品にはずっと目を配っていたはずだ。一体いつそのチャンスがあったというのだろう。

私は日記を取り出し、会計の記録をひとつひとつ見返した。すると、さらに驚くべき事実が発覚した。どうやら昨日と今日だけではなく、以前にも知らないうちに盗難に遭っていたようなのだ。被害総額は日本円にして約一三万円にのぼる。滞在費、日本へ帰国するための航空券代、その他の予備としてとってあった金額の全てがなくなってしまった。貴重品袋に入れていたそれらのお金は、ある日突然にではなく、気づかぬうちに、まるで魔法にかかったかのように徐々に消えてしまったのだ。

盗まれた一三万円は、シリアの平均月収二万円の六倍に相当する。犯人は、一気に半年分の月収に相当する大金を得たのだ。何度かに分けて盗む手口から常習犯とも思われた。その夜、モダールに、「日本に帰る航空券代がない。良心があるならお金を返してほしい」と話したが、彼は神に誓って自分ではないと答えた。

「君はバカだな」。現金を全て紛失したことを知ったラドワンは、開口一番にこう言い放った。簡単に人を信用したからだと。彼によれば、軍隊でも、誰もが当然のこととしてトイレや風呂場まで貴重品を肌身離さずに持っていくという。呆然とする私を、ラドワンの兄貴分のサアドが励ましてくれた。お金なら自分が持っているから心配するなと。

その頃、私はダマスカスでアラビア語を学んでいた。治安悪化を受け、多くの語学学校が閉鎖されたため、エイナムという女性教師の家に通っていた。しかし現金を紛失したことで授業料の支払いはおろか、生活にも困る状況となってしまった。エイナムに事情を話すと、彼女は同じイスラム教徒として大家のモダールに電話をかけてくれた。

エイナムが電話口で「警察」という言葉を出すと、モダールは敏感に反応したそうだ。そして彼はこう話した。ユカが数台のカメラを持っていて、屋上から爆発の写真も撮っていた。自分のことを警察に話すなら、自分も警察に行って、ユカが政府にとって危険だと話してやると。

電話を切ったエイナムは言った。「モダールは危険な男です。あなたは何もしないほうがいい。この国に警察はいません。政治や法ではなく、みなお金によって動いています」。それに、と彼女は続けた。「政情不安なこの状況で、外国人は警察と接触しないほうがいい」。何もしないほうがまだ安全――。それは事実のようだった。犯人のめどがつきながら放置するほかなく、しかも盗まれたお金は戻らない。

落ち込む私をサアドはたびたびお茶に誘って励ましてくれた。サアドはモダールを例にあげ、信仰心と、その人間の本質は異なった要素だという話をした。モダールは日に五回のイスラムの祈りを欠かさず、モスクにも行く。信仰に篤いように見える。一方で、イスラムでは固く戒められている盗みを働き、嘘もつく。その信仰と行動の矛盾が理解しがたかった。その疑問に対し、サアドは答えた。神を畏れているからこそ、許しをこうために祈るのだ。そんなわけで、内戦下のシリアで私は一文無しになってしまった。

モダール事件(二)　不可解な真実

帰国するのに必要な現金すら失い、私はこれからどうすればよいのだろう。弱気になった私を奮起させてくれたのは数年来の友人たちだった。なけなしのお金を集めてくれ、野菜や肉、おかずを持ち寄って食事を作ってくれることもあった。シリア人はそうしたことが普通にできる人々だった。

ある日、部屋にラドワンの甥のムハンマドが訪ねてきた。彼はラドワンの姉の子供にあたり、ラドワンと同じ年齢だ。ラドワンとは異なる駐屯地ではあったが、彼もまたダマスカスで兵役中の身だった。私たちは夕食を作って食べることにした。ラドワンとムハンマドが調理を始め、私は足りない野菜を買いに近所の八百屋へ向かう。数分後、私の携帯電話が鳴った。ラドワンからだ。後で理由を話すので、そのまま家に戻らず外にいてくれとささやく。何かが起きたらしい。私は買ったばかりのイタリアンパセリの青い束を手に、路地の壁に寄りかかった。

私が買い物に出てまもなく、ラドワンとムハンマドは物音を聞いた。複数の男が部屋の壁の向こうにいて、内側に侵入しようとしている気配がした。独特の〝勘が働いて〟、とっさに二人はトイレに身を隠し、息を殺して状況を見守った。やがて物音は大きくなり、誰かが壁をよじ登り、飛び降りる音が聞こえた。室内に侵入者がいることは明白だった。でも、どうやって？　おそらくは台所の上の通気口の小さな窓枠を外して侵入したようだった。

ラドワンとムハンマドは、トイレの扉の隙間から侵入者の姿を確認した。その人物は、やはりモダールだった。彼はまるで自分の家のように（モダールはこの部屋の大家なのでまさしく彼の家ではあるのだが）台所から包丁を取り出すと、玄関に向かった。そして包丁を使い、施錠した扉を内側からこじ開けた。扉の反対側には共犯者が待機しているようで、二人が「もう少しだ」「急げ」と会話しているのが聞こえた。扉は頑丈な鉄製で、施錠して鍵をなくせば、通常は鍵屋を連れてこなければ開けられなかった。だがモダールは、こうしたことに特殊な経験を積んだようだ。彼はいとも簡単に扉を開けてしまった。そして共犯者を中に入れると、二人で部屋の物色を始めた。彼らはテレビとパソコンを運び出そうとしており、すでにテレビの配線を抜いているところだった。

ラドワンとムハンマドは互いに目で合図を送り、今がそのときとばかり、勢いよくトイレから飛び出した。「何をしているんだ」。突如目の前に現れたラドワンとムハンマドに、侵入者たちは仰天し、持ち上げたテレビを床に落としてしまった。

モダールは一瞬慌てふためいた。私が外出するのを屋上から確認し、この部屋には誰もいないと確信して侵入したが、私の友人たちが残っていたのは大きな誤算だった。だがすぐに落ち着きを取り戻し、それどころか開き直って、何事もなかったかのように三階へと引き揚げていった。彼らは、テレビとパソコンを売って金に換えようと考えていたと率直に理由を語ったそうだ。

この一件で、モダールが私の現金を盗んだ泥棒である可能性がかなり高いと睨んだ。現金を盗むのではなく、パソコンやテレビに手をつけようとしたのも、もう私に現金がないことを知っていたからではないかと思えた。

モダールにはなんら私への罪悪感がなかった。階段で行き違うと、彼は普通に私に微笑んで「今日もいい天気だね」と挨拶をした。

モダールには、滞在予定の三カ月分の家賃はすでに前払いしていた。さらに引っ越そうにもお金がない。私は残りの二カ月が、モダールとの戦いになることを覚悟した。これ以上彼を野放しにはしない。助けを求め、弁護士として働いていた友人のアフマッドに相談した。


その頃アフマッドは、弁護士の職を離れ、反体制派兵士となるべく準備をしていた。彼は盗難に遭ったという私の話を聞くと、「シリア人なら、まず実力行使をして復讐する」と話した。シリア人は警察を介さず、個人と個人とで厄介ごとの解決を図るのが普通らしい。盗まれたなら盗み返す。やられたならやり返す。だがそれが嫌だったら、警察に相談するしかない。君ならそうするしかないだろう。アフマッドはそう、弁護士らしからぬ話をした。

アフマッドによると、警察に相談するのなら、まずは策を練らなければいけない。彼らを味方につけられなければ全ては水の泡になるため、どうやってこちら側につけるかに注意を払うべきだ。アフマッドは「贈り物」、つまり賄賂を用意する必要があると言った。現金なら文句なし、お菓子の詰め合わせでもいい。つまりは賄賂が不可欠で、それなしでは警察は全く動かないというのだ。

「この国では先に警察を味方につけたほうが正義になる。大事なのは真実ではない。利益だ」。かつて、弁護士として使命感に燃えていたアフマッドの、その飄々《ひょうひょう》とした、無機質な言葉に私は驚いた。「やりきれないだろう。これが今のシリアなんだ。だから、この国で弁護士を続けることに意味も見出せないし、改革を支持するんだ」。

数日後、私とアフマッドは警察署を訪ねた。もちろん賄賂を携えて。現金はさすがに、シリアの賄賂社会にひと役買うようでスッキリしないので、ナッツをたっぷりはさんだパイ生地のアラブ菓子、パクラワの菓子包みを用意した。部屋の奥に通されると、無愛想な男が椅子に座っていた。彼はアフマッドの話を半分聞きながら、いかにも興味がなさそうに点けっ放しのテレビの画面を見ていたが、「贈り物」の包みを取り出すと、とたんに機嫌を良くした。そして笑顔を振りまき、「イエス、ユーアーライト!」と英語で話し、ウインクした。アフマッドが話した通り「贈り物」の効果は絶大だった。警察は「君は正しい。全面的に協力しよう」と何度も繰り返し、私は被害届を書くこととなった。

二階にある私の部屋の上階、三階のモダールの部屋の隣には、もう一人の住人がいた。二十代前半のソヘイブという青年だ。頭の回転が速く真面目で、政府軍の将校を目指して軍の学校に通う学生だった。被害届を警察に提出した夜、そのソヘイブからメールが届いた。「数日前、モダールが自分の部屋に来た。これからユカの部屋に行き、盗めるものを盗んで金を作るとモダールは言った。モダールは何でもやるだろう。彼はハッシッシ（大麻）を買うための金を必要としている」

メールを読み進めるうち全身から力が抜けた。ソヘイブはモダールが盗みを犯すことを知りながら、止めることなく傍観したのだ。

翌日、階段でソヘイブに会った私は彼を問い詰めた。なぜモダールを放っておくのか。ソヘイブは「全ては平和のためだ」と答えた。シリアでは外側と内側を使い分けなければ生きてゆけない。それが正しいか間違っているかより、自分の身が安全かどうかが大切だと。その言葉が冷たく胸に響いた。自分の立場を考えて行動すること。繰り返された弾圧の歴史によるものか、とかくシリアの人々はその点に長けていた。

数日後、警官が私の部屋にやってきて、誓約書を作成することになった。盗難状況が紙に記され、弁護士のアフマッドと被疑者のモダール、そして被害者の私、証人である友人たちが同席した。モダールは最後まで窃盗を認めなかった。警官はその状況で、半ばモダールを脅迫し、盗難額七万シリアポンド（約一二万円）を私に返却することを約束させ、七枚の紙に分けた誓約書にサインをさせた。警官はモダールを怒鳴って約束をさせたものの、その場にいた誰もが七万シリアポンドを彼が返済するはずはないと、形だけの誓約に白々しさを感じていた。

誓約書に無理やりサインさせられるモダールの手は震えていた。警官からは、金額が返却されなかったり、モダールが新たに問題を起こした場合、この紙を提出することで、彼を四年間刑務所に収監できると説明を受けた。

その夜のことだ。ドタバタと上の階から物音がしたかと思うと、外から男の叫び声が聞こえてきた。これはただごとではないと窓の外を見ると、男が路上で抑えつけられ、泣き叫んでいる。その傍ではテレビやソファー、パソコンなどが運ばれ、次々と車に積まれていた。路上で羽交い締めにされて泣き叫ぶのは、なんとモダールだ。モダールを羽交い締めにしているのは近所の住民、そして家具を運んでいるのは――なんと警官ではないか。

モダールの罪が確定したことで警察は〝権力を行使〟し、近隣住民を協力させ、彼の部屋の家具を強制的に持ち去ろうとしているのだ。周囲には人だかりができていた。

「何をしているんですか」。私は思わず外に飛び出て、警官に状況の説明を求めた。モダールが窃盗の被疑者とはいえ、強制的にモダールの家具を運び去ることの目的がわからなかった。すると警官は、モダールが盗んだお金を少しでも私に返すため、財産を差し押さえたのだと話した。その傍で、モダールはがっくりと肩を落とし、自分の家具が乱暴に運ばれていくのを泣きながら見ていた。もともとの原因は彼にあるとはいえ、その姿は憐れそのもので、こうした措置が強制的にとられることに強い憤りを覚えた。

警官が話したことが本当なら、たとえ一部でも家具を売りさばいたお金が私に支払われるのだろうと思ったが、警察からの連絡は一切なかった。結局、盗まれたお金も戻らなかった。どうやら彼らは、モダールの家具を売り、収益を自分たちでせしめたのだ。警官も、私にとってはモダールと同じ盗っ人でしかなかった。こうしてモダールは、警官の私欲のために不本意な制裁を受け、さらに大麻の常用、その他複数の窃盗によって罪状がさらに重くなった。私がモダールの「誓約書」を警察に提出した場合の刑期は、禁固四年から一〇年に引き上げられた。

モダール事件に見通しがたった頃、私は弁護士のアフマッドとダマスカス旧市街の川沿いの道を歩いた。雪解け水で水かさを増した川面に光が反射し、水音が涼しい。川を眺めながらアフマッドが私に尋ねた。

「モダールを刑務所に送りたいか」。正直なところ、私はもうどうでもよかった。

「君があの〝誓約書〟を警察に持っていけば、モダールを刑務所に収監できる。しかし彼は刑務所で死ぬことになるだろう」

アフマッドによると、民主化運動が起きてから多くの政治犯が生まれ、刑務所は囚人であふれている。罪状を問わず、刑期の長い者から処刑が行われているそうだ。一〇年という刑期を科されたモダールが刑務所に送られたなら、かなり高い確率で処刑されるだろうとのことだった。

「君はモダールが殺害される可能性があると知ったうえで、刑務所に送る覚悟があるか。一人の人間の生死を決めることだ」

私は沈黙した。モダールの死は望まないが、裁きが下されないことに釈然としないものを感じた。そうした心の内を見透かしたように、アフマッドは続けた。

「モダールは十分罰を受けた。大勢の住民の前で辱めを経験した。それで十分だろう」

そして彼は言った。今、君が制裁を加えなくても、いつか運命が彼に制裁を加える。我々はその存在を神と呼ぶ。

私は黙って、ただ光を抱くように流れてゆく川に目を落とした。太陽が眩しかった。

その後間もなくして、アフマッドは反体制派兵士となり、ホムスやアレッポなどの戦地へと旅立った。七年にわたって前線に身を置いたが、足を負傷し、二〇二〇年三月現在、アレッポ郊外にて妻と二人の子供と暮らしている。

モダール事件には続きがある。モダールの隣の部屋のソヘイブ、その他の友人が後になって証言したのだ。モダールと私との間で通訳を務めたサアドが、通訳をしながら互いの会話をうまくコントロールしていたそうだ。また一年前から失業し、ほとんど貯金がなかったサアドが、盗難事件が起きてから、銀行で五万円近くを換金したのを見た友人がいた。私以外には日本とのつながりのない彼が、あろうことか日本円からシリアポンドに両替していたという。

全ては終わったことだが、犯人はモダールと、そしてサアドであったようだ。彼らはきっと、それぞれ別のタイミングで犯行に及んだのだ。モダールは私の不在時を狙って部屋に侵入し、サアドは白昼堂々、おそらく私がトイレに入った一瞬の隙を突いて犯行に及んだのだ。

盗難に遭った私が落ち込んでいるとき、サアドはよく、「金なら自分が持っているから安心しろ」と励まし、お茶や食事に誘ってくれた。私は「あなたのような親切な友人を持てて幸せだ」とことあるごとに彼に感謝したが、その記憶の複雑な思いと同時に、彼がよく口にしていた言葉を思い出すのだ。

「人生は不平等だ」。それがサアドの口癖で、彼はよく、日本で一日働くといくら収入が得られるかを尋ねた。相対的な物価を考えると、日本の生活に余裕があるわけではない。しかし日本とシリアの経済格差にサアドはショックを受けていた。

シリア人の平均月収は、当時約二万円ほどだった。シリア人が一カ月働いて得られる収入を私たちは二日、または三日で得ることができる。サアドは、生まれによって経済格差があることを不平等だと嘆いていた。

「人生は不平等だ」。そう言ってタバコに火をつけるサアドの横顔が思い浮かぶ。行き場のない不満を、サアドは私から現金を奪うことで、彼なりに晴らそうとしたのかもしれない。

越えられなかった国境と老夫婦

ダマスカスの自室で盗難に遭い、私は一文無しになっていた。日々の生活に困るばかりか、このままでは日本に帰国する航空券も買えない。当時のシリアは欧米による経済制裁を受けてATMも使用できなくなっていた。そこで私は、ATMで預金を引き出すためだけに、ヨルダンへ日帰りで行くことにした。

このとき、アブドュルラティーフ一家の八男でラドワンの兄、アブドュッサラームがすでにヨルダンに逃れており、ダマスカスで羊肉を一〇キロ買ってきてほしいと頼まれた。ヨルダンとは羊の餌となる草が違うらしく、シリアの羊肉は格段に美味しいというのだ。さらにヨルダンは物価が高いため、肉の値段も高く、なかなか羊肉を食べられないそうだ。アブドュッサラームに羊肉をご馳走したかったが、私も盗難に遭い、お金に困っていた。その事情を話すと、現地でちゃんと支払うから心配するなと言う。そこで、ラドワンや友人からお金を借り、私は一〇キロ分の羊肉を買った。その血の滴る羊肉の袋を両手に下げ、ダマスカスのバスターミナルから国境行きの乗り合いタクシーに乗った。

タクシーに同乗するのは三人。七〇歳ほどの老夫婦と二〇歳前後の青年だった。みなが大荷物で、タクシーの屋根にまで荷物を積み、落ちないようロープでくくりつけていた。共に青い目の老夫婦は、ここまで長い旅をしてきたのだろう、すでに疲れ切った顔をしていた。聞けば、ホムス周辺の村からバスを乗り継いでここへ来たそうだ。私の隣に座るのはダマスカス出身だという青年で、ヘッドホンで音楽を聴いていた。いかにも現代の若者といった感じだった。出発と同時に運転手が陽気なアラブ音楽を流し、その民族的リズムによく似合う混沌としたダマスカスの街が、ぐんぐん車窓を通り過ぎていった。やがて緑の穀倉地帯が現れ、さらに沙漠へと変わった。ヨルダンの国境まではダマスカスからわずか二時間の距離だ。

途中、トイレ休憩を二回とった。青年はその都度、車を降りて長電話をし、運転手に早く戻れと注意された。老夫婦は言葉を発することも少なく車から降りなかった。二人にはどことなく影があった。売店で買った飴を差し出すと、老夫婦の妻がありがとうと言い、私の手を強く握った。シワだらけで皮膚の厚い、温かな手だった。二人は、リンゴや桑、アンズがたわわに実る、美しい山の村に住んでいたそうだ。これからヨルダンに行くとだけ話したが、その顔に感情がないことが気になった。一方の青年は普段ヨルダンの大学に通っており、休みをシリアの実家で過ごし、またヨルダンに戻るところだという。

シリア・ヨルダン間の国境検問所はこれまで何度か通過したことがある。沙漠を有刺鉄線で区切った土地に建てられ、実に殺風景な施設だった。以前は長くとも一時間ほど待てば通過できたのだが、この日は違っていた。シリア側からはヨルダンを目指す車や人々が長い列を作っていた。車の列は検問所の数キロ手前まで渋滞し、なかなか前に進まない。やっと検問所に到達したのは、並び始めて三時間後のことだった。

検問所付近は順番を待つ人々の波で大混雑し、パニック状態だ。それを眺めていると、軍服を着た恰幅の良い中年の男が助手席から車中を覗き込んだ。胸や肩に付けられた勲章から見たところ軍の将校らしい。男は「パスポート」と投げやりに言い放つと、検査を始めた。まず老夫婦からだ。将校はパスポートをペラペラめくると老夫婦の顔を見ることなく、まるで吐き捨てるように彼らに何かを告げた。そのとたん、妻が金切り声をあげた。その様子に場は凍りついたが、将校は慣れた様子で夫婦を無視し、青年のチェックを始めた。やがて私の順番になった。将校は私のパスポートを開くや否や、一瞬私の顔をさっと見た。外国人がここにいることに驚いたようだ。そして再び目線をパスポートに戻すと、ヨルダンに行く目的を尋ねた。アラビア語がわからずポカンとしていると、青年が通訳をしてくれた。

ヨルダンへお金をおろしにいくと話した私に、将校はＯＫとだけ言うと、無線機で誰かに何かを連絡した。その間にも老夫婦は将校に向けてパスポートを掲げ、懇願するように話をしていた。将校はそれをずっと無視していた。私はここで初めて、老夫婦が涙を流していることに気がついた。何か大変なことが起きているのだ。一体何が起きたのだろう。青年に尋ねたが、青年は前を見たまま沈黙し、将校が少し視線をそらした一瞬の隙をついて「シーッ」と人差し指を口の前に持っていった。それ以上それについて言葉を発してはいけないという彼なりの警告だった。

やがて将校が車から離れると、青年は遠ざかる将校をなおも気にしながら小さな声で言った。夫婦はここで止められた、彼らは車から降りなければいけない、と。そのときすでに運転手は、車の屋根に積まれた老夫婦の荷物を無造作に路上に投げ下ろしていた。包みが崩れ、内側からペットボトルに詰められたオリーブの漬物などが見える。老夫婦はなおも将校にすがりつくように懇願し続けていたが、冷たくあしらわれて振りほどかれた。その様子に私は悲しみで胸がいっぱいになった。青年は小さな声で続けた。「彼らはアラウィだ。だからシリアから出ることを許されない」。

――アラウィ派。シリアの大多数を占めるイスラム教徒のなかでは少数派で、シリア西部ラタキアや中部ホムス周辺の山岳地域に多くが暮らしている。アサド大統領やその側近もアラウィ派であることから、政権中枢をアラウィ派が独占していた。そのため、優遇を受けるアラウィ派への反発は根強く、長らくシリアにおける民衆の不満のひとつだった。

二〇一二年五月二五日、反体制派によって掌握されていたホムス近郊のホウラで、ある事件が起きた。三四人の女性、四九人の子供を含む一〇八人が鉈《なた》・鎌・剣などの刃物によって殺害され、三〇〇人以上が負傷したのだ。加害者はおそらく政府軍とその協力者である民兵組織「シャッビーハ」であるとされる。女性と子供の死傷者が圧倒的だったことから、事件は衝撃をもって報道され「ホウラ虐殺」と呼ばれた。この事件を受け、アメリカやイギリスなどの一一カ国がシリアから外交官を退去させた。

政府軍の中枢はアラウィ派であることから、一部の民衆は怒りの矛先をアラウィ派の市民に向けようとしていた。暴走したスンナ派により、〝報復〟という名のもとにアラウィ派の市民が糾弾され、襲われる事件も発生した。

こうした事態に不安を抱くアラウィ派のなかには安全を求めて国外へ逃れようとする人もおり、私が出会ったあの老夫婦もそうした人たちだったようだ。だが、もともとシリア国内で少数派であるアラウィ派がそれ以上減ることを良しとしない政府は、このとき、アラウィ派の人々の出国を禁止していた。

老夫婦は道に散乱した荷物の脇で力なく座っていた。杖をついていた二人には、これらの荷物を運ぶ力すらなさそうだった。一体これからどこへ行けというのか。車が前に進むことになり、私は最後に老夫婦に別れを告げた。そのあとの言葉が見つからず、ただ手を握ることしかできなかった。老夫婦もまた、痩せた手で私の手を握り返した。

車が国境へと進むうち、多くの人々が道端に座り込んでいることに気がついた。老夫婦同様、出国を許されなかったのだ。みな途方にくれ、泣いていた。老夫婦が不憫で、私も涙を流していると、隣の席の青年が鼻先で笑うように軽くあしらった。そんなのはシリアでは普通だ、と。

そのときだった。タクシーのドアが開き、痩せた中年の男が乗り込んできた。男は先ほどまで老夫婦が座っていた、青年の隣の席に座った。最初は新しい客だと思っていたが、運転手と青年にこれまでとは違う、何か異質な緊張が漂い始めたことに気がついた。車中の全員が無言になり、明らかに空気が変わったのだ。この男は一体誰なのか。なぜ突然車に乗り込み、運転手も何も言わないのか。男は、彼自身について誰も尋ねてはいけないといった雰囲気を、確かに醸し出していた。しかし、私は好奇心に負けてしまった。「あなたは誰ですか」。男はそこで初めてこちらを向き、「やあ」と不自然な笑顔を浮かべた。名前は言わなかった。目鼻立ちの整った男だったが、目つきにどことなく冷たさを感じた。

男を警戒しているうち、あまり遠くないところからパンパンパンと銃の発砲音がした。ここで、それまで異様な緊張感に包まれていた一同の意識が外に向いた。国境警備の軍人を標的にした銃撃が起こっているようだった。私は流れ弾に怯え、座席に身を低くしてうずくまった。

しかし運転手やダマスカスの青年は外に出て、あろうことかタバコを吸い、さらに携帯を取り出して動画の撮影を始めている。怖くないのだろうか。それからも数発の発砲音が響いたが、彼らは慌てず、ゆったりと構えていた。皆こうした状況に慣れ切っているのだ。後から聞いたところによると、どうやら出国を許可されず、自暴自棄になった男が発砲したようだった。

このどさくさに紛れ、ダマスカスの青年と話をした。彼が言うには、車に乗り込んだのはシリアの秘密警察だ。おそらくさっきの将校から連絡を受けて君の監視をするために来たと。男は私が再びシリアに戻るまでの間、監視しようとしているようだった。ここで、さらに予想だにしないことが起きた。私のパスポートに問題が見つかったのだ。

シリアはイスラエルと長く敵対的な状態が続いている。最近は状況が落ち着いているが、かつては国境のゴラン高原をめぐり、激しい戦闘も行われた。双方の国民は互いの国に入国できず、旅行者といえどもイスラエルに入国した履歴がパスポートにあると、シリアへの入国は拒否される。一方で、イスラエルは観光業で潤う国であり、観光客の事情をよく理解していた。暗黙の了解として、希望すればパスポートではない別紙にイスラエルの入国、出国スタンプを押してくれる。これまで二度イスラエルを訪れた私は、イスラエルのスタンプを別紙に押してもらった。だが問題はイスラエルからエジプトへ抜けた際の、エジプトの入国スタンプだった。

エジプトではイスラエルのような措置は採用しておらず、通常通りパスポートにスタンプを押される。勘の鋭いシリアの検問所の係官ならば、そのスタンプを見ただけでイスラエルに入国していたことに気づくだろう。だが私はこれまで三回ほどシリア・ヨルダン間を行き来していたが、それに気づいた係官はいなかった。だから大丈夫だとたかをくっていたのだが、今回は違った。

検問所の係官は若い男で、きびきびした身のこなしから利発そうに見えた。おそらく私より年下だが、流暢に英語を話し、制服で身を整えた姿には貫禄があった。彼は私のパスポートのページを凝視した。ひとつひとつのスタンプや日付を指で追い、確認する。やがて係官はあるページで指を止めた。そこに押してあったスタンプをしばらく眺め、沈黙した。私をじっと見ながら、「このスタンプは……」と言い、それが間違いではないことを確認するため、もう一度手元に視点を移した。そして再び顔を上げると、「問題だ」と静かに言った。「あなたはイスラエルに行きましたね」。係官が私を睨む。「ハイ」と正直に言うしかなかった。何のためにヨルダンへ行くのかと係官が尋ねたので、シリアでATMが使えず、お金をおろすために行くのだと話した。すると、ヨルダンへこのまま行ってもいいが、事実を知ってしまった以上、再びシリアに入れるわけにはいかないと言う。その緑色の目を見つめ、思いを巡らせていると、さらに彼は言った。この検問所のチェックは特に厳しい。だがお金をおろすだけなら一度ダマスカスに戻り、レバノンに出ればいい。レバノンとの国境検問所はチェックが厳しくない。彼らはこのスタンプに気づかないだろう。そう言って彼はパスポートを私の手にそっと返した。微かにその口元が笑ったように見え、係官の善意を感じた。

かくして目的地はレバノンに変わり、私もタクシーを乗り換えて引き返すことになった。事情をタクシーの運転手に話しているうち、後部座席にいた秘密警察らしき男もいつの間にか姿を消していた。その、あまりにも手際の良い立ち去り方からも、やはりあの男はただものではなかったと感じた。私にとって実に怪しい男だったが、彼にとって私もまた怪しかったに違いない。私は内戦下のシリアで一文無しの日本人、それもヨルダン国境で止められ、また引き返すのだ。

国境の検問所を最後に振り返ると、悲しみにくれる群衆の姿が目に入った。泣き叫ぶ人、放心状態の人……。この国境を越えられるか否かで、彼らの人生の明暗が分かれるのだ。その様子を目の当たりにした私は、ダマスカスで盗難に遭った憤りも何もかもが消え去り、ただ一本の国境線によって人生を翻弄される人間の哀しみを思うのだった。かくして私には、ラドワンの兄に渡せなかった一〇キロの血の滴る羊肉と、その借金だけが残った。

キリスト教地区での休日と噂の上官

細い路地が迷路のように入り組むダマスカス旧市街の喫茶店で、ラドワンと私はコーヒーを飲んでいた。顔を合わせるのは一週間ぶりだ。今日もわざと離れた席に座り、周囲を警戒しながら話をした。コーヒーを飲み終えると、ラドワンは自分についてくるよう合図をし、古い石畳のでこぼこした道を距離を置いて歩いた。彼と会うときは、まるでスパイ映画の登場人物になったような、現実離れした心境になる。やがて路地をいくつか曲がったり上ったりしてたどり着いたのは、一軒の石造りの家。ダマスカスでラドワンと同じ部隊にいるという友人、ハーレッドの家だ。

その家は旧市街のキリスト教地区の一角にあり、ハーレッド一家もクリスチャンだった。ダマスカスの歴史同様、ハーレッドの家族もまた、この土地に長い歴史を刻みながら代々ここに生きてきたことが、重厚な家の雰囲気からうかがえた。すぐ近所には、キリスト教の使徒である聖パウロの回心の地、聖アナニア教会があった。

その家の扉を叩くと、中から青年が現れ、内側へと招き入れた。この青年がハーレッドのようだ。ラドワンは慣れた様子で青年と中に入っていった。扉の向こうには床に鮮やかなタイルを敷いた広い中庭があり、その美しさに思わずため息が漏れた。中庭の床には大小様々な植木鉢が整然と並べられ、小さな噴水から水が吹き上がっている。この開放感のある中庭を中心に、多くの部屋が並んでいた。建物は白と黒の石から造られ、多くのアーチを持つダマスカスの特徴的な伝統建築だ。ダマスカスの多くの古い家屋がそうであるように、建物は外側よりも内側に建築の粋が現れる。

ラドワンは中庭の日陰に腰を下ろすと、ひんやり冷たい床のタイルの上で裸足になり、リラックスした様子でハーレッドと話し始めた。ハーレッドはキリスト教徒、ラドワンはイスラム教徒だが、宗教の違いで友人関係が損なわれることはなかった。

パルミラでは住人のほとんどがイスラム教徒だったため、ラドワンはこれまで、イスラム教徒以外の友人を持たなかった。だが軍隊生活によって、キリスト教徒やユダヤ教徒、また同じイスラム教徒で宗派を異にするアラウィ派の友人を初めて持った。同年代の彼らが、自分と変わらない気さくな若者であることを知ったラドワンは、宗教の違いで人間を区別しないことを学んだ。

そんな彼の新しい価値観との出会いとは対照的に、その頃のシリアでは、宗教や民族の違いを意図的に際立たせることで両者の対立を煽り、政治問題を宗教問題や民族問題にすり替えようとする動きもあった。実際、民主化運動前には見られなかったイスラム教徒の少数派アラウィ派と多数派スンナ派の対立が深まり、衝突によって死傷者を出していた。

ラドワンとハーレッドは、〝駐屯地ではとても口にできない〟ことをのびのびと語った。ほとんどが上官の悪口だ。軍隊の矛盾や薄っぺらな名誉、意味のない訓練についても語られた。実戦を想定した訓練と称して、三日間、毎食立ったまま一分以内で食事をとらされたこと。食べ終えた者は床に座り、条件を満たしたとされるが、食べ終えられなかった者、まだ食べている者は罰として腕立て伏せ一〇〇回が課された。ラドワンはいつも一分で食べ切れず、毎回一〇〇回の腕立て伏せを強いられた。毎食腕立て伏せを一〇〇回してもいいから、ゆっくり食べたいと思っていた。ところが毎度のように腕立て伏せが続くうち、上官に頭を丸刈りにされたという。

ラドワンの部隊の上官はアブ・ターレク、五〇歳ほどの太った男だ。シリアの政治の中枢を掌握しているのが大統領と同じアラウィ派であることから、上官もアラウィ派がほとんどだった。若くて実戦経験がなくても、アラウィ派であれば優遇された。アブ・ターレクもそうした一人で、「アラウィ」の名のもとに甘い汁を吸ってきた。彼は権力をかさに着て威張り、部下を動物のように扱った。訓練中に部下がミスをすると、「ロバめ」と罵る。部下に賄賂を要求し、受け入れられないと厳しいペナルティを命じた。ラドワンやハーレッドも彼に賄賂を払わされてきた。ラドワンは二カ月前からアブ・ターレクが買った車のローンを他の兵士と一緒に払わされている。こうした賄賂は、もちろんラドワンなど兵士たちの懐からだけでは支払うことができず、事情を理解している家族からの仕送りで賄われる。

軍隊生活にも賄賂が不可欠なのは、シリアでは常識だ。賄賂が渡せないと上官は便宜を図らない。便宜とは休暇や日々の食事、訓練に至るまで、およそ軍隊生活の全てに適用される。避けては通れない兵役を快適に過ごす唯一の方法は、賄賂によって上官の機嫌をとることだった。つまり金の力がどこまでもものを言うのだ。前述の警察にとどまらず、行政も軍隊も一般企業も学校も、およそシリアでは全ての場でこうした賄賂がまかり通っていた。

ラドワンとハーレッドは、日頃の鬱憤を晴らすように、ひたすら上官アブ・ターレクの悪口を冗談交じりに話し、笑い合った。軍隊生活は理不尽で、上官は威張りくさっている。宗教的思考に陥らないよう、イスラムの祈りさえも禁止されている。だが軍隊は、異なったルーツを持つ者同士が共同生活を送り、他者を知り、共生を図るという豊かな経験を積む場でもあった。

カシオン山

ダマスカスを見下ろすカシオン山は、標高一一五一メートル。聖書に登場するカインとアベルの物語の舞台であり、人類最初の殺人が行われたとされる地だ。カシオン山の山腹は褐色の土が露出する乾いた斜面で、そこにしがみつくように家々が密集して建てられている。夜ともなれば山の中腹の家々に灯りがともり、山全体が光の粒となって輝く。それは実に美しい、神秘的な光景だ。山頂からの眺めも素晴らしく、まさに絶景。眺めの良さから若者のデートスポットとして人気で、山頂まで車道が整備されている。ダマスカスでも指折りのドライブコースだった。

そのカシオン山に、ベラルーシ人の友人ヴァレリーと麓から歩いて登ることになった。ヴァレリーとはダマスカスで出会った。彼は三十代初めで、ダマスカスの発電所の技術責任者としてロシア系企業からシリアに派遣され、二年が経つ。ベラルーシに家族を残して単身赴任しており、ホテルと発電所とを往復する毎日だった。シリアでの暮らしを尋ねると、ノーコメントだと苦笑いした。彼はこの国の文化、特にイスラム教に馴染めずにいた。頭をヒジャーブで覆った女性を目にしたり、モスクから流れる礼拝への呼びかけ、アザーンを聞くたび、複雑な思いになるという。ベラルーシでは自由な生活を送っており、仕事が終わると、同僚と酒を飲み、ディスコで踊った。休日は家族とキャンプや釣りに行き、緑あふれる自然を満喫した。ここダマスカスでは、休日といえば、ロシア系の同僚とタクシーを借り切って遺跡や観光地を回る。そして飲酒が許可された店で酒を飲む。その繰り返しだった。

ヴァレリーは思いやりがあり、丁寧で誠意のある会話を好み、まさにジェントルマンという言葉がしっくりくる人物だった。だが驚くべきことに、彼は二年もの月日をシリアで過ごしているにもかかわらず、アサド大統領の名前すら知らず、さらにこの国が内戦状態であることを知らなかった。彼はシリアの国内情勢に興味がなく、ニュースも見ていなかった。ヴァレリーにとっての関心事は日々の仕事の継続と休日の過ごし方のみで、情勢が不安定になれば本国に帰るだけなのだ。

彼は行動力と責任感にあふれた素晴らしい人物だったが、自分が置かれている環境に興味を示さなかった。私はその理由を、ヴァレリーの祖国ベラルーシがたどってきた歴史にあると感じていた。

ベラルーシは独立国であるものの、かつてはソビエト連邦の一部であり、現在もロシアの強い影響下に置かれている。ベラルーシ人はロシアからの抑圧と恩恵の両方を受け入れてきた。ヴァレリーも「プーチンはビッグマフィアだ」と言いながら、ロシア企業で働き、ロシアの恩恵を受けている。政治から距離を置き、負の部分には目をつぶり、恵みだけを享受する。それがベラルーシ人として生きるために彼が学んだことのようだった。

私たちは大学が多く存在する麓のロクネディーン地区から、山裾の急斜面にびっしりと建てられた家々を両側に見ながら、一時間ほど坂を登った。ときどきヴァレリーの携帯電話が鳴り、その都度彼は、うんざりしたように電話をとった。勤務する発電所に問題が起き、指示を仰がれているのだ。ヴァレリーによると、休日でも問題が起きない日はなく、仕事は二四時間体制だ。その多くはシステムによるものではなく、シリア人の働き方の問題だと悪態をついていた。

やがて山道が細く険しくなり、山頂へと続く砂地の道が現れた。足元には空き缶やビニール袋が散乱していたが、眺望は息をのむ美しさだ。大きな岩を巻くように斜面を登ると、そこはもう山頂だった。巨大な蜃気楼のようにダマスカスの街並みが眼下に広がっていた。ヴァレリーと私は山頂の大きな岩のてっぺんに腰掛けた。古来、ダマスカスは沙漠のオアシスとして発展したという。その歴史を、このカシオン山の頂に立ち、街の果てに霞む沙漠を目にしてようやく理解できた。

静寂のパルミラ遺跡

二〇一二年六月はじめ、私はパルミラに向かうバスに乗っていた。ダマスカスからパルミラは距離にして約二三〇キロ。ふたつの街は広大な沙漠によって隔てられている。パルミラは二〇〇八年に初めてシリアを訪れて以来、アブドュルラティーフ一家をはじめとする多くの友人に出会った土地だ。二〇一一年以降、ダマスカスやアレッポなどの大都市で武力衝突が繰り返されたが、パルミラは沙漠に囲まれた地方都市ゆえに、政治的混乱の影響を受けにくいとされていた。しかしパルミラでも民主化運動とそれに対する弾圧が激化し、軍隊と反体制派との武力衝突が繰り広げられた。

アブドュルラティーフ一家の父親ガーセムから、家族との接触を避けるように言われていたが、彼らに会えないにしてもパルミラに立ち寄りたかった。このまま情勢が悪化すれば、パルミラを訪れる機会がなくなるかもしれない。故郷のように親しんだ懐かしい街や遺跡を歩きたくなり、パルミラに向かうことにした。

パルミラまでは、ダマスカスに暮らす友人でパルミラ出身のマーヘル（仮名）も一緒だ。ちょうど実家に帰るというので、バスに同行させてもらった。彼はアブドュルラティーフ一家の親戚で、ラドワンの幼なじみでもある。当初、ごく短時間で街やパルミラの遺跡を散策し、日帰りする計画だったが、マーヘルが実家で昼食をと誘ってくれたため、お邪魔することにした。現在のシリアで外国人と市民との接触は危険ではないのか、マーヘルの家族の安全が心配だったが、彼は問題ないと断言した。聞けば、彼の父親はもともと秘密警察の一員で、今でもパルミラの警察と仲が良いそうだ。「君が来ても、僕の家族のところは大丈夫だ。警察も仲間みたいなものだから」。普段ラドワンとつるんでいるマーヘルが、秘密警察の一員だった父親を持っていたことが驚きだった。ということは、彼の家族はアサド政権の支持者である可能性が高かった。

アブドゥルラティーフ一家をはじめ、それまで私が知り合ったシリア人の多くが反体制派支持者で、こうした友人たちから耳にするのは、決まって政権批判ばかりだった。それもあって、私はもう一方の側の話も聞いてみたいと常々思っていた。マーヘルの家族を訪問することは、そんな私にとり、願ってもない機会だった。

バスがパルミラに近づくと、見覚えのある山々が車窓に姿を現した。パルミラの街が近いのだ。感傷に耽っていると、街へと続く幹線道路にびっしりと戦車が並び、土嚢《どのう》を積んで道路を封鎖しているのが目に入った。バスはそこで停車した。すると、兵士がドタドタと乗り込んできて乗客の身分証を確認していった。兵士たちは若く、二十代前半のようだ。迷彩柄の軍服を着て、重々しい銃器を肩にかけている。彼らは乗客を一人一人確認するとバスを降り、出発の許可を出した。

再びバスが走り始めると、兵士たちは乗客ににこやかに手を振り、車窓の外へ消えていった。この兵士たちもラドワンと同じく、徴兵されて任務を遂行している若者たちのようだった。折しも、パルミラでは数日前に戦闘が起こり、政府軍兵士が十人ほど亡くなったと聞く。シリアのどこかから、こうした兵士たちの家族が、無事を祈っているに違いなかった。

そのうちバスが街に入ると、私は言葉を失った。街にかつての面影はなかった。昼だというのに通りは静まり、外を歩く者はいない。全ての店のシャッターが閉まり、ほんの一年前には彩り豊かな野菜が並んでいた市場も今は空っぽで、ゴミだけが風に吹かれている。大通りに沿った建物はところどころ崩れ、落書きされ、激しい戦闘の痕跡を生々しく語っていた。政府軍によるミサイル砲撃によるものだ。

バスターミナルからはタクシーでマーヘルの実家に向かった。パルミラを訪れる外国人は警察に届け出をしなければならず、さらに遺跡に立ち入るならば警官の同行が必要だった。その手続きをマーヘル宅ですることになった。

タクシーは路上に転がるゴミを避けてゆっくり走る。通りは閑散として人の姿が見出せないものの、家の中には確かに人の気配があった。ラジオの音や子供の泣く声。そうした人の気配が、なんとも言えない安心感をくれる。

途中、タクシーはアブドゥルラティーフ一家の家の前を通過した。玄関の戸は閉じられていたが、居間の窓に白いカーテンが揺れていた。とたんに目頭が熱くなった。この家で過ごした思い出が蘇り、様々な感情が押し寄せた。一家は今、どのように過ごしているだろう。数週間前、サーメルの逮捕の現場となったこの家で。

やがて住宅街の一角でタクシーを降りると、マーヘルの父親が出迎えてくれた。「ゆっくりしなさい」と言うなり父親は居間でゴロンと寝転び、タバコを吸い始めた。母親は丸い大きなお盆の上に食材を並べ、忙しそうに昼食を作っている。ワラカ・エイナブというシリア料理だ。アラビア語でエイナブはぶどう、ワラカは葉っぱを意味し、ひき肉と一緒に炒めたご飯をぶどうの若葉で包み、レモン味のスープで煮込む。私も手伝わせてもらっているうち、男が二人やってきた。

その独特の風貌、醸し出す威圧感から、彼らが警官だとすぐにわかった。男たちはマーヘルの父親と握手すると、「パルミラを去るまで預かる」と言って私のパスポートをズボンのポケットに入れた。さらに写真については、市街地や戦車など軍関係のものは撮影禁止で、撮っていいのは家の中と遺跡だけだと念を押した。また遺跡を訪れる際は、〝私の安全のため〟同行するという。それは建前で、実際には監視が目的のようだった。

台所からいい香りが漂い始め、まもなく昼食が居間に運ばれてきた。マーヘルとその父親、そして二人の警官と私は、一枚の丸い大皿に積み上げられたワラカ・エイナブを囲んだ。父親と警官との、たわいもないやりとりが続き、その親密さがうかがわれる。父親は数年前に退職するまで秘密警察の一員で、それもかなり地位の高い役職に就いていたという。現在のシリアで秘密警察は悪名高いが、マーヘルの父親が現役だった当時は、恨まれるようなことはほとんどなかったそうだ。

マーヘルの父親は痩せて、日に焼けたシワだらけの顔をしている。いつも満面の笑みを浮かべ、前歯はない。まるで長年の重労働に耐えてきた純朴な農民のようだ。その柔和な笑顔を前にすると、秘密警察だったと言われても、にわかに信じがたかった。父親は多くを語らなかったが、危険な仕事をしながら人々に恨まれる今の秘密警察に、心から同情すると話した。マーヘルはそんな父親を尊敬の眼で見つめていた。

権力の恩恵を受けるということを多少なりとも知りたかったが、マーヘルの父親に会った私は内心拍子抜けしていた。暮らしも食べ物も人間味も、これまで目にしてきた一般家庭とマーヘル一家は、ほとんど変わりなかった。

体制派か反体制派か。シリアでは政治的立場という目に見えない線によって、人々は分断されようとしていた。しかしその区分は極めて曖昧でもあった。

人間の立場は一朝一夕に成るものではなく、数十年という長い時間の蓄積によるものだ。結果的にマーヘルの家族は体制派とされたが、彼らがそう望んだというより、秘密警察という職務に就いていたことで、周囲の交友関係も体制側になったのだ。彼らはその立場から、淡々とそれまでの生活を継続させてきたにすぎない。

パルミラ遺跡に立つのは一年ぶりだった。シリア最大の観光地として賑わったかつての姿はなく、ひっそりと静まりかえっていた。人ひとりいないその遺跡を、私は二人の警官と歩いた。

世界遺産パルミラ遺跡は、パルミラ王国の都の跡で、紀元前一世紀から三世紀にかけ、東西を結ぶ交易路の中継点として栄えた。各国からの隊商が行き交う国際色豊かな都市だったという。二〇〇〇年の時が流れても、壮麗な神殿や、計画的に配置された列柱群、そして遺跡の規模から、当時の繁栄ぶりがうかがえた。

そのパルミラ王国が滅亡したのは三世紀、女王ゼノビアの時代だ。女王はササン朝ペルシアと結び、王国内へと勢力を拡大しつつあったローマ帝国に反旗を翻した。しかしローマ軍の勢いに押されて都は破壊され、略奪の末に廃墟となった。その後パルミラは、歴史の舞台から姿を消し、わずかなアラブ系住民が遺跡内に居を構えていた。パルミラが再び脚光を浴びたのは二〇世紀初頭だ。沙漠に守られるようにかつての姿をとどめていた遺跡は注目され、ヨーロッパから派遣された調査団によって発掘調査が盛んに行われた。一九八〇年にはユネスコの世界遺産に登録され、その価値が知れ渡ると、多くの観光客が押し寄せ、パルミラは観光都市として賑わいを見せるようになった。だが今、遺跡は再び歴史の渦の中で、静寂の世界へと立ち返ろうとしている。繁栄と静寂とを繰り返してきたパルミラ遺跡。砂に埋もれつつある風化した石の中から、古の人々の声が聞こえてくるようだった。

ダマスカス　秘密警察との攻防

二〇一二年三月から六月までダマスカスに滞在した間、シリア情勢は悪化の一途をたどった。爆発や銃撃戦が相次ぎ、体制側は人々の監視に最大限の注意を払っていた。やがて私にも、不穏な動きが迫ってきた。

ダマスカスの生活が二カ月目に入った頃、ずっと同じ男に尾行されていることに気がついた。さらに、ダマスカスで購入した携帯電話で政治的な話をすると、回線が切れることが何度かあった。どうやら携帯電話が盗聴されているのではないかと、私は疑念を持つようになった。念のため、ラドワンや友人に事情を話し、しばらく会うことを控えて警戒することにした。そうこうしているうち、滞在予定の三カ月が過ぎ、シリアを去る日が近づいてきた。ダマスカスで内戦下の人々の写真を撮ることができたものの、ラドワンとの今後についての展望が見出せないままであること、さらに彼にはあと一年の兵役が残っていることが不安だった。

サーメル兄が逮捕されてから、ラドワンはまるで人が変わったようにぼんやりする時間が増えた。思慮深くなり、自分の考えをあまり語らなくなった。一方で軍隊から脱走した友人の話や、ヨルダンでの難民生活に尋常ならぬ興味を示し、自らの進退を真剣に考えているのだと思われる節があった。

ラドワンにとっての「進退」とは、軍にとどまるか、それとも脱走を図るかだ。軍からの脱走は重罪で、捕らえられれば銃殺刑に処される可能性もある。仮に逃げ切れても、国内にいる限りは指名手配される。そのため脱走するからには国外に逃れるほかなく、それはすなわち難民になることを意味した。

ラドワンは誰にも本心を話さなかった。だが私には想像できた。軍隊にいれば、いずれ市民に銃を向けねばならなくなる。彼は良心の呵責に悩み続けていた。結局ラドワンとはその話をする機会が持てず、再会を約束して私は帰国の途につくことになった。

午前零時、タクシーに乗り、ダマスカスの薄暗い街を空港に向かった。車窓に映る黄色い街灯を眺めていると、三カ月間の思い出が走馬灯のように駆けめぐった。内戦下のシリアで数々の忘れがたい経験をした。そして、それぞれの立場や信念に生きる多くの人々に出会った。

こうしてシリアからの出国は、郷愁にあふれるものになるはずだった。しかし現実は、そんなに甘いものではない。空港に到着した私を待っていたのは秘密警察だった。案内されて別室に入ると、机の上にはすでに、私のパスポートのコピーや航空券情報などが準備されていた。航空会社から連絡を受けたようだ。それから、長い検査が始まった。

命じられるままに、私はスーツケースの中身を全て出した。確認作業は日記からパソコン内部にまで及んだ。さらにカメラのデータを全て見せるよう要求された。しかし私が使用したのはニコンのＦＭ２というフィルムカメラで、写真は二〇〇本近い未現像のフィルムの中だ。事情を説明するが、写真が確認できなければ出国させられないと言う。シリア政府にとって不都合な、戦闘の最前線や破壊された街の写真を撮ったと疑っているのだ。実際のところ、一度だけ借家の屋上からモダールと爆発の写真を撮ったものの、私が撮影したのは市民の生活の姿であり、彼らが危惧する政治的な写真は撮っていなかった。たまたまダマスカスの写真屋で試しに現像し、プリントした写真があったことを思い出し、街の広場でくつろぐ男たちの写真を見せることにした。

しかし秘密警察の係官は首を縦に振らず、フィルムの中身を確認できない限り、出国を許さないという姿勢を崩さなかった。その間に飛行機の出発時間は迫り、航空会社の職員が何度も困った様子で呼びにきた。「このままでは飛行機に乗り遅れます！」と抗議するが、彼らにとっては全く他人事で、急ぐ素振りも見せなかった。そのうち航空会社の職員は呼びに来なくなり、最終搭乗時刻が過ぎ、無情にも飛行機は飛んでいってしまった。私はかんかんに怒り、乗れなかった飛行機の代金を補償してくれと猛抗議した。

二カ月前、盗難に遭って一文無しになってしまった私は、多くの友人に助けられながら、帰国するための金策に走ってきた。シリアでは欧米の経済制裁の影響でＡＴＭが使用できなかったため、わざわざレバノンまで行ってお金を引き出し、ようやく購入したのがこの航空券だったのだ。

出国できなかったこと以上に、航空券代が戻ってこないことがショックだった。日本までの片道運賃は一三万円で、私にとって大金だ。出国させないばかりか、失った航空券代についても我関せずの姿勢を貫く秘密警察の措置に、強い憤りを覚えた。「次回の出国までに、より多くのフィルムを現像し、写真を見せるように」。そう言い残すと彼らはその場を去っていった。部屋に一人取り残された私は思った。こうした不条理こそが、内戦下のシリアなのだ、と。今のシリアで写真を撮影することに、私はある程度の覚悟はしていた。何が起きても、その結果を受け入れなければならない、と。そして、そのひとつの代償が、起こってしまったのだった。

しかし困ったのは、再び一文無しになってしまったことだ。ダマスカス中心部に帰るタクシー代すらないのだ。携帯電話も友人に譲渡したため、連絡手段さえない。日本に帰るまでの道のりは遠かった。

これからどうすればいいのだろう。ぼんやり座り込んでいると、先ほどの秘密警察の男が通りかかった。なぜここにいるのかと尋ねるので、一文無しだからだと返した。すると彼らは、この事態の原因が彼らにあるにもかかわらず、同情した様子で、空港内の詰め所に私を連れていった。そして温かいお茶を淹れてくれ、腹が空いただろうと贅沢なアラブ菓子をご馳走してくれた。

まさに「ムチ」のあとの「アメ」だった。先ほど私の荷物を雑に取り調べ、出国を許さないと強硬に私の前に立ちはだかった鋼のような冷たさは消えていた。彼らのうち一人は、「僕のママの料理はとても美味しいから今度食べにきなさい」とウインクした。

そんな彼らの表情は柔和だった。一体、どちらが本当の彼らなのだろう。おそらくどちらの姿も真実なのだ。冷酷さと陽気さのはざまに、秘密警察という複雑な立場の片鱗を垣間見た。最終的に、ダマスカス中心部に戻る交通費と当面の生活費を彼らがカンパしてくれ（その額は日本円にして五〇〇〇円ほどだった）、私は窮状から脱することができた。

その後、再度航空券を買わねばならなかった私にお金を貸してくれたのは、アブドュルラティーフ一家だった。飛行機に乗り遅れて一文無しになったと知るや否や、ラドワンの兄の一人、アーメル兄が危険を冒してダマスカスまでお金を持ってきてくれ、日本に帰れるように取り計らってくれたのだ。彼らが貸してくれた航空券代は一三万円。平均月収が二万円ほどのシリアでは大金だったはずだ。このとき会うことはかなわなかったが、アブドュルラティーフ一家はいつも私を心配し、危機的状況にあっては躊躇なく救いの手を差し伸べてくれた。

空港で、あのときなぜ秘密警察に出国を止められたのだろうか。その答えを友人たちは、私がシリアという国を理解していないからだと言い、私が秘密警察に対して最も肝心なことをしなかったからだと口をそろえた。シリア人だったら当たり前のことだという。そうした話から、なぜこの国でこうも政治への不満が噴出するのかを、改めて考えた。

一週間後、私は再び空港に向かった。前回と同じ秘密警察の男が待ち構えていたが、より多くの写真を示し、友人たちに教えられた〝肝心なこと〟を実行した。すなわち彼らに若干のお金を賄賂として払ったのだ。その効果は絶大で、次の瞬間、彼らは検査を終えた。つまりは最初から、彼らは賄賂を求めていたのだ。

「シリアでは賄賂が社会の潤滑油。賄賂を渡すことは相手に敬意を払うということだ」。ある友人の言葉だ。善いか悪いかではなく、それがこの国の行政に対するしきたりだった。

かくして私はようやく帰国の途についた。ダマスカスの街並みは飛行機の窓から遠ざかり、内戦下のシリアは夜の闇へと堕ちてゆくように視界から消えていった。

第四章 難民の多様を生きる

安全への逃避行

二〇一二年六月、シリアから帰国すると日本は初夏で、青々と茂り始めた木々の緑が目に鮮やかだった。私とラドワンは遠く隔てられたそれぞれの日常へと戻り、私はパルミラから持ち帰ったザクロの種を鉢に植えた。この種が芽吹き、成長する様を見守りたかった。その一本の苗が、私とシリアの確かなつながりであるように感じられたからだ。

ラドワンとは友人を介して連絡をとり続けていたが、あるときから連絡が途絶えた。帰国して二カ月ほどが経つ八月のことで、友人も消息がわからないという。パルミラのラドワンの実家にも尋ねたかったが、外国からの電話は迷惑をかけるだろうと思いとどまった。ラドワンの身に何かが起きたのではないかと気がかりだったが、無事を祈り、連絡を待つことしかできなかった。

それから一カ月が経った九月、ふいに電話が鳴り、電話口から癖のある懐かしい声が聞こえた。ラドワンだった。

「僕は今どこにいると思う?」。開口一番、自慢げにそう尋ねたラドワンは、シリアではなくヨルダンにいるのだと言った。私は驚きながらも、内心、やはり……と思った。

ヨルダン北部、シリア国境にほど近いキング・アブドュラ公園難民キャンプ。ラドワンは開設されたばかりのその難民キャンプから、友人の携帯電話を借りて電話していた。国際電話代が高額なので一度電話を切り、こちらからかけなおす。再び電話口に現れたラドワンは、この数日間に彼が経験した逃亡劇について滔々《とうとう》と語り始めた。重いくびきから解放され、安堵したかのような口調だった。

二〇一二年五月のサーメル兄の逮捕は、アブドュルラティーフ一家に計り知れない衝撃を与えた。その悲嘆は深く、父親ガーセムと母親サーミヤは、サーメルと同様に民主化運動に参加して指名手配されたジャマール、軍隊にいるラドワンにも国外に逃れることを勧めた。ラドワンは政府軍の一兵士としていつ前線に送られるかわからず、徴兵されただけの身でも、〝民衆の敵〟として報復の標的にされる恐れがあった。実際、ダマスカスに駐屯するラドワンの部隊は、街の大通りへ何度も、〝市民の沈静化〟のために出動していた。

ラドワンにとっては、軍にとどまることも脱走することも大きなリスクを孕《はら》んでいた。そのために彼は思い悩んだが、最終的にラドワンを突き動かしたのは母親のサーミヤの言葉だった。「息子よ。お願いだからこの国から出ていきなさい」。サーミヤはラドワンに電話し、泣きながら訴えた。シリアにいては命を失ってしまう。生きてさえいれば、いつかきっと会えるだろうから、今は安全な土地に逃れてほしい。その言葉に、ラドワンは長く胸にくすぶっていた

〝逃亡〟への覚悟を決めた。ラドワンが最も愛する母親からの、息子を愛するがゆえの懇願だった。親子は押し寄せる悲しみに、黙ったまま電話口で泣いた。

ラドワンはそれから綿密な準備を重ねた。上官が駐屯地を離れるのはいつか、どのタイミングでどこからどうやって逃げるかを検証した。心は穏やかでなかったが、表面上はいつも通りの朗らかでおどけた兵士を装った。逃亡の気配を誰にも悟られないように。

その年の七月は、爆弾テロがダマスカスでも相次いだ。しかし政府・反体制派の双方が相手の行為だと主張し、犯行の目的も主犯もわからないままだった。各地では武力衝突が拡大し、シリアはまさに混乱状態だった。やがてラドワンが駐屯する部隊でも市民に対する戦闘行為が始まった。そしてある日、ついにラドワンが恐れていた命令が下った。

「大通りで大規模なデモが行われている。全員武器を持て。デモを鎮圧するのだ」

上官の命令に兵士たちが続々とトラックの荷台に乗り込む。その手には銃が携えられた。ラドワンもまた同部隊の兵士とトラック輸送の順番を待っていた。

「出発までどれくらい時間がありますか」。ラドワンは上官のアブ・ターレクに尋ねた。数分後だと聞いたラドワンは懇願した。

「空腹で動けません。サンドイッチを買ってきていいですか。あなたの分も買ってきます」。

アブ・ターレクは首を縦に振らなかった。そこでラドワンは、二〇〇〇円ほどの賄賂をその手に〝さりげなく〟握らせた。「一〇分以内だぞ」。アブ・ターレクはそう言うと、すっと視線を移してその場を離れた。彼は部隊の監視もあり、余裕のない様子だった。

ラドワンは小さなカバンを手にすると、もう一人の仲間と共に駐屯地を出た。広い駐屯地に隣接する一角には行きつけのサンドイッチ屋があり、彼らはそこで一人二個ずつサンドイッチを買った。そこまではいつもと変わらなかった。

それから二人は数ブロック離れた建物に素早く移動した。物陰で軍服と革靴を脱ぎ捨てると、あらかじめカバンに用意していたTシャツとジーンズ、サンダルに着替える。そして脱いだ軍服と靴を黒いビニール袋に入れ、路上のゴミ箱に投げ入れた。二人はそのまま駐屯地に戻らなかった。こうして彼らは脱走兵となった。

逃亡計画は用意周到に準備されたものだ。上官が忙しく立ち回らねばならない状況下、〝わずかな間〟と懇願し、賄賂を渡して外へ出る。そしてそのまま行方をくらます。仮に露見しても、部隊はデモの鎮圧のため現場に向かわねばならず、数名の脱走兵のために部隊の計画を変更できない。ラドワンが待ち続けた絶好の機会だった。

しかし脱走兵には、何重もの関門が待ち受けていた。シリア全土には要所要所に検問所が張りめぐらされており、軍隊や警察が市民の通行を厳しくチェックしていた。特に政府への敵対者や脱走兵は厳重に取り締まられ、兵士が通過する際も、上官が発行する証明書が必要だった。

逃亡にあたってラドワンが最も恐れたのは、このおびただしい数の検問所の通過だった。脱走兵とわかればおしまいだ。実際、多くの脱走兵が検挙され、銃殺刑に処されていた。

しかしラドワンは、ここでも〝袖の下の恩恵〟にあずかった。数週間前、上官アブ・ターレクに高額な賄賂を渡し、日付と地名を自由に記入できる休暇証明書をあらかじめ入手していたのだ。賄賂の額はシリアの平均月収の半月分に相当する高額なものだったが、その休暇証明書に命がかかっていた。これがあれば、〝休暇中の兵士〟という立場を装うことができる。

この国では、賄賂によって自由や安全を買うことができた。上官から搾り取られるだけでなく、その職権を自らもうまく利用することをラドワンは学んでいた。不法に入手した正規の休暇証明書を持つことで、ラドワンたちは幾分か安心していたが、それでも検問所を通るたび、脱走兵だと見破られないか、恐怖心に襲われた。

彼らはヨルダンを目指していた。その国境までは五〇近い検問所がある。逃げ急ぐ彼らに、母国を去る感慨に浸る余裕はなかった。それはまさに命がけの逃避行だった。

需要があるものは何でもビジネスになる。それは内戦下のシリアでも同様で、違法手段でしか状況を突破できない者のための闇ビジネスが多く生まれた。国境地帯では、政治的な問題を抱えた者や脱走兵、またパスポートを持たない者のために、沙漠からの違法な越境を案内するビジネスが生まれた。ラドワンもその手を借りた。その方法でしか越境できなかったからだ。

先導したのは沙漠を知り尽くしたベドウィンたちだ。一人につき二万円ほどを案内料として支払い、闇に紛れて国境を目指した。越境ビジネスを手がけるベドウィンの情報網は、政府の最新機器よりも正確で、動向の変化にも強かった。

これまでベドウィンの社会は、沙漠で助けを必要とする者を無条件に、無償で保護するという伝統を守ってきた。沙漠という過酷な環境で、相互扶助のもとに生きる必要があったからだ。だが内戦後、違法な国境越えを希望する者が増加すると、それに加担するベドウィンの身も危険に晒され、彼らは高額な報酬を要求するようになった。祖先から伝わる沙漠の知識、伝統が、莫大な富をもたらすビジネスチャンスへと変わっていったのだった。

ラドワン一行はベドウィンたちに案内されるがまま、ジープに乗っては降り、沙漠を歩き、また別のジープに乗り換えた。別の沙漠から来たシリア人も途中から一緒になったが、誰も口を開かなかった。国境を越えることの意味を、それぞれが問い続けていたのだ。

いつの間にか夜が明けた。ベドウィンの男が車を止め、一行を降ろす。国境はもうすぐで、ここから先は車で近づけないという。あっちに向かって歩け、そう指示を出すと、男は早々に引き返した。その車はすぐに起伏ある沙漠の大地の中に見えなくなった。やがて数十分歩いた先に人工物らしきものが見えてきた。沙漠を区切っただけの有刺鉄線、これが、二つの国を隔てる国境なのだ。

早朝だというのに国境の先に人影が見えた。ヨルダンの軍人のようだ。あの有刺鉄線を越えれば、もう安心だ。すでに向こう側へと抜けていった人々の痕跡が、人が通れるほどの穴となって有刺鉄線に残っていた。ラドワンは一気にその穴に身を委ねた。鉄の棘《とげ》が、彼の服に引っかかり、引き裂いていく。それはまるで、立ち去ろうとする祖国シリアの、最後の抵抗であるかのようだった。ヨルダン側には、入国してくるシリア人を保護し輸送するため、軍人が待機しており、彼らが有刺鉄線の棘を外すのを手助けしてくれた。その行為から、ラドワンの緊張の糸が緩み、ヨルダンに来たことを強く実感した。

ラドワンの胸には二つの感情が湧き上がっていた。安全を手にした安堵感、そしてシリアを去らねばならなかった悲しみだ。シリアを離れる選択はできることなら避けたかった。しかし生き延びるために、そうしなければならなかったのだ。こうして、愛してやまない祖国が、ラドワンの背から遠ざかっていった。

ラドワンは、その逃走の記憶を一気に語った。平和なパルミラの大家族に生まれたラドワン。抗《あらが》うことのできない時代の奔流の中で、彼は一人の難民となったのだった。

異国での漂流

シリア国内の武力衝突が激化した二〇一二年以降、シリア周辺国には難民が殺到した。シリア南部のヨルダンにも沙漠を越えて難民が押し寄せ、警察と軍隊が人々をキング・アブドュラ公園難民キャンプに誘導した。開設されたばかりのこのキャンプに、ラドワンもまた移送された。

キャンプではテントと毛布、それに水と食料が支給された。たとえ最低限の支援であっても、安全を手にし生活を保障されたことでラドワンは幸福を感じた。しかし数カ月が過ぎるうちに、飢えと疲労感が彼を襲うようになった。食事は毎日ほぼ同じで豆の缶詰とパン数切れだけだ。死ぬことはないが選択の自由もなく、かろうじて生きていられるという状態だった。労働など収入を得る手段も見出せず、一日中テントの中で座って過ごす毎日だ。キャンプは何重もの有刺鉄線によって囲まれ、パスポートがない者は外側への自由な出入りもできないため、キャンプ内部の狭いコミュニティで暮らすしかなかった。

安全を手にした安堵感は、一週間ほどが経つと、実に味気ないものに変わった。やがてラドワンはストレスにさいなまれ、難民キャンプでは人間らしく生きられないと感じるようになった。実際、難民キャンプはあくまで臨時の避難先であり、長期にわたる居住を前提に作られてはいなかった。

彼同様、多くの難民がキャンプでの生活に疲れ切り、失望し、シリアへと戻っていった。安全であっても自由がない環境に耐えることができなかったのだ。そうした人々を目にして、ラドワンは自らの行く末を考えた。脱走兵である自分は、彼らのようにシリアへ戻ることはできないのだ。

身分証やパスポートを持たない。手持ち金もない。シリアにも帰れない。そうした身の上のラドワンにとって選択肢は二つしかなかった。この状況に耐え続けるか、またはキャンプを出るか。後者はもちろん、違法に、だ。

ラドワンはここでも、〝袖の下の恩恵〟によって苦境を脱した。ヨルダンの首都アンマンに暮らす親戚に連絡し、まずお金を借りた。そしてキャンプの難民の間では暗黙の了解として知られていた方法――警備官に賄賂を渡して裏口から出してもらう――でキャンプを抜け出した。支払ったのは約四万円。ヨルダンの一カ月の収入に相当する額で、難民のラドワンが半年近く働いてようやく返済できるかどうかの大金だった。それでも彼は自由を欲した。その自由を求め、シリアを離れたのだから。

ヨルダンの首都にして、中東の経済拠点として発展を続ける大都市アンマン。ラドワンはかつて、一観光客としてアンマンを訪れることを夢見ていた。だが彼は、観光客ではなく、難民としてここにたどり着いた。トルコでもレバノンでもなく、ヨルダンを逃亡先に選んだのは、父親ガーセムからの勧めがあったからだ。ガーセムは若い頃、ヨルダンやイラク、サウジアラビアに出稼ぎに行き、そこで見聞きしたそれぞれの国の生活の違いを、いつも息子たちに話して聞かせていた。トルコは民族も言葉も違うし、レバノンは中東諸国でも最も物価が高い。ヨルダンは、民族も宗教も言葉もシリアと近い、と。その話から、ラドワンは避難先として、ヨルダンが最も暮らしやすそうだと考えていた。

ラドワンと時を同じくして、ラドワンの兄の一人、アブドゥルラティーフ一家の九男ジャマールもヨルダンに逃れ、難民キャンプからアンマンへと移動していた。ラドワンはジャマール兄と合流し、身を寄せ合って親族や友人の家を転々とし、あらゆる仕事をした。路上でマッチやライター、子供のおもちゃを売り、建築現場で働いた。路上に寝泊まりすることもあった。

アンマンではシリア難民が増え続け、仕事は飽和状態だ。仮に仕事を得ても、日給はヨルダン人の半分ほどで、生活を維持することが難しかった。さらにシリア難民の大量流入がヨルダンの経済を圧迫し、混乱を招いたと言われ、シリア人とわかれば差別も受けた。働けど働けど、現実は厳しいままだった。〝努力すれば現状は好転し、人生は豊かになるはずだ〟。そんなラドワンの信念は揺らぎ、現実の過酷さと、シリアに残した家族への思慕から、危険を冒してシリアに帰ることを考え始めていた。

二〇一三年の初め、ラドワンは電話で突然切り出した。シリアに帰り、自由シリア軍の兵士になって母国のために戦いたいと。

私はパルミラでの、かつてのラドワンの姿を思い出していた。彼の毎日は沙漠とラクダ、オアシスの緑、大好きな家族や友人、そして一日十杯ほどのお茶の時間に彩られ、何の不安もない平和で満ち足りたものだった。

二〇〇八年に出会って以来、ラドワンと私はどちらからともなく惹かれ合った。二〇一〇年頃からは互いに結婚を意識したが、翌二〇一一年一月からラドワンは二年間の兵役にとられることになった。さらにその二カ月後の三月に民主化運動が起こり、シリアは内戦へと突入した。ラドワンはやがて、政府軍の一員として市民を攻撃する良心の呵責に耐えられず逃走。脱走兵となり、さらにヨルダンに逃れて難民となった。かつての日常や家族から唐突に切り離された不条理を、ラドワンは自らの存在意義を見出すことで解決しようとしていた。それも、安全が保障されたヨルダンでではなく、戦地であり、仲間がいるシリアで、だ。

「自分のことは忘れてほしい」。ラドワンは私にそう言い残すと、二〇一三年の初めにシリアへと戻っていった。私は彼の心情を理解しながらも、越境を思いとどまるよう必死に説得した。シリアのためと考えるならば、命を永らえて力を蓄え、平和が来たとき尽力することもできるはずだと。だが、ラドワンの決意は固かった。

自由シリア軍は、アサド政権に敵対している点で立場は同じだったものの、様々な思惑のもとに集まった、大小様々な部隊の集合体だった。イスラム原理主義を掲げるアルカイダ系部隊もあれば、市民の救助や医療支援を目的とする穏健派部隊もあり、各地で部隊ごとに独自行動していた。統一した指揮系統を持たなかったためにまとまった勢力とはなりえず、結果的にシリア情勢はさらに複雑化していった。

ラドワンの友人の多くが属していたのが穏健派部隊だ。彼らは市民を守るという目的のもと、空爆後の傷病者の搬送や、政府軍への攻撃を行った。ラドワンもそこに自分の命の意義、そして脱走兵としての活路を見出そうとしていた。シリアにひとたび入れば脱走兵として追われる身であり、前線に身を置くなら死も覚悟しなければいけない。それでもラドワンは、シリアへ向かうことを躊躇《ためら》わなかった。

以来、私の日常はピタリと針が止まってしまった。ラドワンがどこで何をしているかもわからず、突然の別れを受け止めるのに時間が必要だった。しかし一日一日が過ぎるごとに、幸せだった日々の思い出が悲しみを和らげてくれるのだった。現実を受け入れ、今を生きるしかなかった。二人が属する世界は、あまりにも異なっていたのだから。

数カ月が過ぎた二〇一三年の春、私はザクロの苗木を暖かな日差しの下に置いた。一年前に種を植えたザクロの木は、今や小さな葉を茂らせていた。私とラドワンは別れつつあり、シリアでの思い出も過去へと去っていった。しかし木は成長を続け、ときに孤独にさいなまれる私の心を和ませてくれた。ラドワンが去った私の日常は、ゆっくりと輝きを取り戻そうとしていた。

ラドワンとの出会い、そして別れを通じて考えさせられたことがある。人はなぜ、何のために生きるのかということだった。それはすなわち、ラドワンはなぜ、ヨルダンでの平和な日常を離れ、戦地へ戻ったのかという問いでもあった。

人間は、最低限の生活が保障され、安全を手にしても、それだけでは生きるために十分ではないのだ。ラドワンや、その他大勢のシリア人が、危険を顧みずシリアへ帰るのは、そこが住み慣れた土地だからというだけでなく、人生を自ら選択する自由があるからではないだろうか。働く自由、家族と移動する自由、何を食べ、誰に会い、どこで暮らし、どんな環境を選びとるかという自由。そうした、日々の選択によって自分の生があるという実感。それこそが〝人間の命の意義〟なのではないだろうか。ラドワンにとっては、たとえシリアが戦地であっても、ヨルダン以上に、真に自分の生を生きられる土地だったのだ。やがて私は、ラドワンの選択を受け入れていった。

ある夜、日記を書いていると、電話が鳴った。ヨルダンからの番号だ。きっとラドワンか、彼の消息を知らせる誰かに違いない。数秒間、私は躊躇した。電話をとれば、私は再び困惑を繰り返すだろう。ラドワンとの別れの痛みを乗り越え、孤独に慣れ、ようやくここまできたのだ。今ならラドワンを忘れて前に進むことができる。

数秒の間に、心の中に二人の自分が現れ、ここが運命の分かれ目だとささやいた。一人はどこまでも現実的で、ラドワンを忘れ、混乱から離れたほうがよいとささやいた。もう一人は、直感を信じ、心の求めるほうへと向かえばよいとささやいた。電話をとるかとらないか。脳裏に浮かんだのは、パルミラで彼と過ごした時間であり、太陽のようなあの笑顔だった。私は電話をとった。

最初、受話口からは何も聞こえなかった。しばらくして、ようやくか細い声が聞こえてきた。名乗らなくても誰かはわかる。ラドワンだ。彼は元気なく「帰ってきた」と一言告げた。私は自分の気持ちを見極めようとしていた。自分はどうしたいのか。彼はどうしたいのか。私たちは別れたのではなかったのか。ラドワンは疲れ切り、ただ帰ったことを知らせるために電話をしてきたようだった。彼は「目が覚めた」と言い、しばらく黙った後、心配をかけてすまなかったと続けた。シリア帰還への強い意志は失われ、明らかに以前の彼とは様子が異なっていた。彼がシリアで何かを経験したのだと、直感した。

ラドワンはシリアで何を見たのだろう。その後、幾度となく尋ねたが、彼は決して語ろうとしない。記憶を封印し、消し去ろうとさえしているようだった。ここから先は私の想像でしかないが、おそらく彼は戦場に立ったのだ。仲間の死を見たのかもしれないし、誰かを銃で撃ったのかもしれない。確かなのは、そこで彼が、耐えがたい絶望を経験したことだ。

かつて政府軍兵士だった彼は、民衆に銃を向けることへの罪悪感に思い悩み、脱走を図った。そして今回は、立場を一八〇度変え、〝民衆を守るために〟自由シリア軍に加わったはずだ。しかし彼はそこで、立場のいかんにかかわらず、殺戮の本質は変わらないという事実を知ったのではないだろうか。このときの経験について、彼が言葉を選んで話してくれたことがある。「結局、政府軍も反体制派も同じだった」と。その言葉に、思いの全てがあるように感じられる。ラドワンは何かを達観したようだった。シリアには自分が生きる場所がないと理解し、もう一度ヨルダンで生きる道を模索し始めたのだ。

再会と誓い

その後のラドワンは、ヨルダンの首都アンマンで建設現場やレストランの配達員として働いた。さらに、アラビア語の読み書きや英語など、シリアで受けられなかった教育を受けた。そのうち友人の紹介から、難民支援を手がけるNGOの雑務の仕事も得て、生活はゆっくりとだが、安定に向かいつつあった。その環境に生きる努力を始めたことで、彼の世界は着実に開かれていったのだ。

二〇一三年五月。私はヨルダンのクイーン・アリア国際空港に降り立った。到着ゲートを出ると、人ごみに見覚えのある人影を見つけた。遠目からでも見間違うことはない懐かしい立ち姿。——ラドワンだ。ダマスカス以来、一年ぶりの再会に私たちは固い握手を交わした。

ヨルダンに来た目的はラドワンに会うこと、そして共に生きるための準備をすることだった。シリアから再びヨルダンへ戻り、必死に生活しようとしているラドワンと、共に一から生活を作り上げたかった。

ラドワンと生きるなら、一生苦労が絶えないだろう。だが、それで良かった。むしろ、予測不可能な苦労がつきまとうことに痺れるような喜びを感じた。それは未知の山へ、新しい一本の道を拓くような純然たる思いだった。ラドワンはまさに、私にとってヒマラヤの峰のような存在だったのだ。

しかし最後まで気がかりだったのは私の両親の思いだった。ラドワンのことは数年前から話していたものの、東北の田舎に住み、今まで外国人と接触する機会もなかった彼らにとっては、

〝アラブ人〟〝イスラム教徒〟と聞けば、テロリストが連想されるのだった。両親の頭の中で、ラドワンはいつの間にかテロリストと認識され、私も結婚によってテロリストになるのではないかという壮大な妄想が生まれていた。当然、話し合いはその都度決裂し、拒絶された。互いに納得するまでに膨大な時間が必要だと気づかされたが、両親にとっては、そもそも理解の範疇を超えた話だった。

しかし両親の理解を待っていては、いつまでも先へと進めず、自分の人生が止まってしまうような気がした。そこで私は、非情な決断を下すことにした。自分たちで結婚手続きを進め、その後、時間をかけて両親の理解を得ることにしたのだ。だが、両親への申し訳なさと罪悪感とがこみ上げ、最後の最後まで気が咎めた。

一方でラドワンの家族は、意外にも結婚に好意的だった。私がイスラムの文化に倣うならという条件はあったが、息子ラドワンが〝非アラブ人と結婚する〟という、伝統を離れた生き方を選ぶことを認めたのだった。二〇一三年五月の終わり、私とラドワンは国際結婚の最初の手続きを始めた。

改宗と結婚

ヨルダンに到着したその日、ラドワンは私をある男性に引き合わせた。ラドワンと同じパルミラ出身で、イスラム教の宗教指導者、シェイフであるワッダーハだ。年の頃は四十代半ばで、アンマンで妻と五人の子供と暮らしている。

ワッダーハは、パルミラではシェイフとして知られた存在だったが、人々を民主化運動に煽動した罪で指名手配され、二〇一一年というかなり早い段階に難民になった。

ラドワンはイスラム教に則った結婚手続きをワッダーハに一任し、私の改宗の手ほどきも頼んだ。

イスラム教には、異教徒との結婚において改宗が求められる場合がある。イスラム教徒の男性が異教徒の女性を娶る場合、女性の改宗が義務づけられるが、女性がユダヤ教・キリスト教徒ならば、ルーツが同じ〝啓典の民〟とされるため改宗しなくともよい。またイスラム教徒の女性と結婚する男性は、イスラム教徒に改宗しなければいけない。これらは、信仰と生活規範を夫婦が共有し、子孫に伝えられるようにという意図がある。

私とラドワンの場合、仏教徒の私はイスラム教への改宗が必要だった。だが、結婚のために改宗することには違和感があった。信仰とはそもそも自発的なもののはずで、強要されるものではない。また、自然界のあらゆるものに敬意を払う日本のアニミズム思想に、心地よさを感じてもいた。

かつて、ヒマラヤ登山の経験から、人間は大きな自然の流れに生かされているということを知った。その流れは、宇宙とも、運命とも、神とも言えるかもしれない。その点イスラムにおける神の定義も、目に見えない調和に神性を見出すという意味でよく似ていた。改宗に迷いがないわけではなかったが、新しい価値観を知りたいという好奇心もあった。

ワッダーハは私がイスラムへの理解を深められるよう、あるイスラム教徒の女性を紹介した。アンマンに住むカナダ人、シャイマ（仮名）だ。初めて路上で顔を合わせたとき、彼女は全身を黒いアバーヤで覆い、わずかに目を覗かせる黒い頭巾ニカブをかぶっていた。ヨルダンでも、ほとんどの女性はヒジャーブで髪を覆うだけだったため、こうした彼女の服装は目立っていた。シャイマは私を自宅に連れていくと、扉を厳重に施錠してアバーヤを脱ぎ捨てた。黒い衣類を脱ぎ捨てると、現れたのは、すらりとした体型に、ギリシャ彫刻のような彫りの深い、端整な顔立ち。ため息が出るような美しい女性だった。彼女は屋外とは対照的に、半袖半ズボンのリラックスした服装に着替え、そこで初めて私は彼女を個人として認識できた。改めて、私たちは自己紹介をした。

「屋外ではニカブをまとうけど、家族や同性の友人の前ではおしゃれを楽しむの」。そう言って笑うシャイマは、ごく普通の若い女性だった。彼女が住む部屋は4ＬＤＫで、二部屋が服に埋め尽くされていた。それは一生かけても着られないほどの量で、ほとんどはカナダから運んだものだという。

私たちはお茶を飲みながら互いの身の上を語り合った。シャイマはカナダ南部の街で、パキスタン人の父とイギリス人の母との間に生まれた。二十代半ばまでは自由奔放でイスラムにも無関心だったが、次第にアイデンティティに目覚めた。正しいイスラム教徒として生きるため、イスラム社会の基盤が整っているヨルダンに二年前に単身移住した。以来、モスクで子供たちに英語を教えながらイスラムの勉強を続けている。

私は自分のイスラムへの違和感をどう払拭できるか、シャイマに相談した。望まない生活習慣を強制されることが心配だったのだ。彼女は、〝イスラムは自由で、単純明快だ〟と繰り返した。

イスラムの信仰はあくまでも個人と神との一対一の関係で、誰も信仰を強要できない。神と預言者とを信じれば誰でもイスラム教徒になれるが、どこまで宗教上のルールを実践するかは個人の選択だ。そして服装などの外面以上に、心のあり方などの内面こそが重要だ。シャイマはこうした講義を三日間にわたって行い、祈りの作法や聖典クルアーンについて教えてくれた。

さらに「あなたはアラブ人ではないから私が代わりに話すけれど……」と前置きすると、〝結婚を控える娘に、アラブの母親が伝える結婚生活の極意〟について話した。それはつまり、性生活のことだ。

夫を見送るときは（他に誰もいなければ）、必ずキスをして見送ること。夫が帰る頃には、シャワーを済ませ、セクシーなランジェリーに着替え、甘い匂いの香水をつけて待つこと。毎日性の営みを持つこと。夫からの性的誘いを拒否することだけは絶対にやってはいけない。体毛は三日に一回は剃って、夫に髪の毛以外の毛を見せてはいけない。

「とにかく女性はいつもセクシーで、綺麗でなきゃいけないの」。それらは、シャイマが二年前にアラブ系の男性と結婚した際（このときはすでに離婚していた）、〝母〟と慕っていたあるアラブ人女性に伝授された内容だった。

「アラブの男はね、食欲と性欲さえ満たしてあげるといいの。そうすれば結婚生活は円満にいくわよ」。シャイマによれば、最も大切な妻の役割は、夫の性欲を満たすことだという。アラブ人にとって不可欠なゆとりの時間〝ラーハ〟の中には、こうした性の営みの時間が多分に含まれる、というのは初めて知ったことだった。家庭外では、過敏なほどに性に慎みを求める一方で、夫婦間においては頻繁で濃厚な性の営みが求められる社会なのだ。

最後にシャイマはこう言った。「いつも女であることを努力し続けなきゃダメよ、忘れないで」。

それから一週間が経ち、私はイスラム教への改宗の儀式を行った。儀式が行われるのは、ヨルダンの宗教的な最高機関でもある最高裁判所で、イスラム教徒の二人を立会人に次の言葉を宣誓する。

「アッラーは唯一の神であり、ムハンマドはその預言者であると信じます」

宣誓がなされると裁判官が書類にサインし、私はイスラム教徒、ということになった。そしてこれをもって結婚が正式に受理された。

その日、ラドワンの親戚の家の一部屋を借り、私たちの結婚式がささやかに行われた。通常、アラブ人の結婚式は絢爛豪華なことで知られる。二〇一〇年にパルミラで行われたサーメル兄の結婚式を見たことがあった。親戚や友人たちが総勢五〇〇人近く集まり、広場で夜通しダンスをした。ロバや馬、ラクダに乗った男たちが杖や剣を手にして車道を走り、その後から、新郎新婦を乗せたオープンカーが大音量でクラクションを鳴らしながら街中を巡るのだ。このときばかりは、ムスリマである新婦もセクシーなドレスをまとい、髪も美しく整えて、人々の前に姿を現す。疲れ果てるまで皆で歌い、踊り、そうして祝いの席は明け方まで続いた。

だがこのときは状況が違った。ラドワン自身もヨルダンで難民として暮らしており、身近にいる家族はジャマール兄だけだ。サーメル兄の行方も知れず、私の両親への罪悪感もあり、派手なパーティーをする心境ではなかった。加えて私たちはお金に余裕もなく、ウェディングドレスも豪華な料理もない、果物やチョコレートを会場に飾っただけの慎ましい結婚式だった。

式にはラドワンの兄ジャマールや友人たち二〇人ほどが集まり、シェイフのワッダーハがイスラムの法にのっとって式をとり行った。新郎、新婦共に両親が不在のため、ワッダーハがラドワンの父親役に、ワッダーハの友人のアブ・オマルという男性が私の父親役になり、ワッダーハからアブ・オマルに結納金マハルが手渡された。通常シリアでは、平均月収の五倍にあたる一〇万円ほどが平均的なマハルだったが、このときはまさに形だけの五〇〇〇円ほどが贈られた。

ワッダーハはクルアーンを読み上げて私たちを祝福すると、神を信じ、人生に起こりうる全てを受け入れるよう話した。イスラムの慣習を理解し、敬意を忘れないように。そしてラドワンに対しては、私が信仰を理解する手助けをするように、私に対してはイスラムをよく学び、家庭を守る存在であるようにと諭した。

ジャマール兄の沙漠の孤独

翌日、ジャマール兄が暮らす部屋を訪ねた。２ＬＤＫのその部屋には、シリアから逃れてきた二〇人ほどの男性がぎゅうぎゅう詰めで暮らしていた。

ラドワンの兄ジャマールは当時二六歳。パルミラ時代はラドワン同様、ラクダの放牧が日課だった。小さい頃からわんぱくで、兄弟の中でも一番の問題児だとされた。実際、一家を訪ねてもジャマールがいないことも多く、あるときは道端で喧嘩し、相手を殴って警察の拘置所に入っていた。大柄で喧嘩っ早いジャマールは一家の問題児だったが、パルミラの女性にはよく好意を持たれていた。

二〇一一年三月、民主化運動がパルミラでも起きると、ジャマールは兄サーメルや友人と共に参加した。ほどなくして彼らは警察に指名手配され、街を離れて沙漠で潜伏生活を送った。ジャマールは沙漠から沙漠を兄サーメルと移動した。沙漠が彼らを隠し、守ってくれた。

こうした潜伏は一年に及んだ。が、二〇一二年五月、ほんの数日間実家に戻ると言ってパルミラに向かったサーメルが、そのまま警察に連行された。

ジャマールは、サーメルが戻ってくるのを沙漠で待っていた。だが兄は戻らず、家族からの補給も連絡もしばらく途絶え、ジャマールはサーメルの身に何かが起きたことを悟った。

それからジャマールは、一人で沙漠をさすらった。ある夜、砂の上で寝ていると砂嵐がやってきた。砂が巻き上がり、視界がきかず、目や口を必死に閉じて呼吸に集中した。彼は疲れ、身体を丸めるように嵐を避けながら眠りに落ちた。目覚めると、身体が半分砂に埋まっていた。心細くなり、ずっと抑えていた感情が爆発し、ジャマールは大声で叫んだ。「誰か助けてくれ！　ベドウィンはいないのか！」。しかしそこには静寂があるだけだった。ひどい孤独に襲われ、堰《せき》を切ったように彼は泣いた。これ以上一人で逃げ続ける気力はもう残されていなかった。兄の逮捕、そして孤独。精神的に疲れ切ったジャマールは、二〇一二年の秋に国境の沙漠からヨルダンへと逃れた。

以来、アンマンの街の雑踏に揉まれながら、ジャマールは働きづめの毎日を送っている。パルミラの家族を思わない日はないが、現実を受け入れるほかなかった。ヨルダンの地で生活を築く。それがジャマールの新たな夢だ。

ザータリ難民キャンプ

人の熱気を浴びながら、ラドワンと私は商店が立ち並ぶシャンゼリゼ通りを歩いていた。パンに野菜、衣類や金物、宝飾品などありとあらゆるものが売られている。だがここは二重の有刺鉄線によって外界と隔てられた世界だ。シリアから逃れた一〇万人近い（二〇一三年五月当時）難民が暮らす土地、ザータリ難民キャンプ。セキュリティチェックを受けて有刺鉄線の内側へ入ると、おびただしい数の白いテントが目に入った。

ザータリ難民キャンプは、当時世界最大規模のキャンプだった。ヨルダン北部、国境にほど近い沙漠に位置し、アンマンからは車で一時間、わずか六〇キロメートルの距離だ。ヨルダン政府や国連機関、各国政府などの協力で運営され、難民に最低限の生活を保障している。

内戦勃発以降、ラドワンや兄たちの生活の変化を間近で見てきた私は、難民の現状を写真によって伝え、多くの人に知ってもらいたいと考えていた。二〇一三年のヨルダン滞在のもうひとつの目的は難民の取材であり、ラドワンに通訳を頼んで人々の話を聞かせてもらった。

ザータリ難民キャンプに暮らす難民の半数は女性と子供と言われ、特に子供が多かった。ここでの暮らしはどうか、何がほしいかを子供に尋ねると、多くがただシリアに帰りたいと答えた。中には銃がほしい、自分も戦いたいと答える子供もいた。おもちゃやお菓子をねだる子供はほとんどおらず、子供たちは家族や友人と過ごしたシリアでの日々、かつての満たされた日常を夢に見ていた。


キャンプの一角で、車椅子に座り、目を閉じて日向ぼっこしているおばあさんがいた。八五歳のザイルおばあさんだ。政府軍の爆撃でシリア南部のダラアにあった家が破壊され、自由シリア軍の兵士に背負われて国境までやってきた。おばあさんは目が見えず歩くこともできない。冬の凍える寒さのなか、旅は一〇日間に及んだ。今まで生きてきたなかで最も辛い出来事だったという。

「内戦が続く限り、シリア人は誰も普通に死ねない。私はただ普通に死にたい。故郷には家も畑もあったが、ここには何も生活がない。生きることも、死ぬこともできない」

身寄りがないザイルおばあさんの世話をするのは、隣のテントの女性たちだ。シリアで一家の男手を全員失い、彼女たちだけでシリアから逃れてきた家族だという。みな、互いにできることをして助け合い、なんとか生きようとしていた。

「サナルジャー」。アラビア語で〝私たちは帰る〟という意味のその言葉を、ザイルおばあさんは何度も呟いた。もはや目が見えないが、その閉じられた目の奥に、いつもシリアでの思い出が見えているという。いつかシリアに帰る、それがザイルおばあさんの希望だ。

フセイン一家は、ダラアから二カ月前に逃れてきた。フセインとその妻、それに四人の子供たちの六人家族だ。一家のテントを訪ねると、彼らはちょうど昼食中だった。一缶の豆の缶詰と三枚ほどの薄いパン。それが全てで、連日朝も夜も同じメニューだ。

フセインは、シリアで携帯電話を売って働いていた。慎ましかったが、家族で賑やかに暮らし、満たされた日々を送っていた。だが内戦後、街は度重なる政府軍の爆撃を受け、一家の家も倒壊した。近所の知り合いが亡くなるのを目にし、それ以上ダラアに住む気力を失った。その頃、このザータリ難民キャンプで生活の保障を受けられると聞き、ヨルダンに逃れることにした。一家は誰もパスポートを持っていなかったため、皆で沙漠を歩いて国境を越えた。三月の沙漠は地表が凍てつく氷のようで、寒く厳しい旅だった。

二〇一三年三月、ヨルダンの警察に導かれ、一家はザータリ難民キャンプに到着した。これでようやく安心して暮らせると、涙が流れた。最初の一カ月、一家は食料や水の配給を受け、暮らしは安定した。電気・ガス・水道や、子供たちの学校もなかったが、生きることを保障され、幸せだった。

だが難民が次々とやってくるため支援が追いつかず、配給は最初の一カ月で終わった。キャンプの中で仕事を探したが見つからず、フセインと妻は、食べ盛りの子供たちを四人抱え、売れるものを何でも現金に換えた。食料を得るためだ。結婚指輪、時計、靴、衣類なども売ったが、そのうち売るものがなくなった。現在はわずかな貯蓄からパンと缶詰だけを買い、なんとか日々をつないでいる。だが貯蓄も底をつきそうで、これからどうやって生きていけばいいか悩んでいた。

逼迫《ひっぱく》した身の上を淡々と話す妻の隣で、フセインは視線を落として黙って座っていた。日に焼けた黒い顔をし、げっそりと痩せている。ここで生きていく意味を見失っているように見受けられた。

一週間後、再びフセイン一家を訪ねた。パンや野菜や果物などの差し入れを持って一家のテントに入ると、妻や子供たちが笑顔で迎えてくれたが、フセインの姿がなかった。「お父さんはシリアに帰った」と言う。それも、反体制派の兵士になるために。

「ここにいてもわずかな食料で命をつなぎ、座っているだけの毎日だもの」とフセインの妻が口を開いた。ここには仕事もお金もなく、先の展望も見えない。日々はやることもなく座り続けるうちに過ぎていき、フセインは何のためにここで生きているのかと苦しんだそうだ。

「夫は自分の命の意義を求めてここを去った」。そう語り、子供たちをじっと見つめるフセインの妻の黒い目に、私は人間の強さと悲しみを見た。ラドワンは通訳することをしばし忘れ、黙っていた。

フセイン一家に見送られてテントの外に出ると、どこまでも澄んだ青い空が広がっていた。私はフセインの妻が話した〝命の意義〟というものを考えていた。かつてラドワンも同じ話をし、シリアへ戻ったことがあったからだ。

シリアでの戦禍を逃れ、安全を得るため人々はこのキャンプにやってくる。しかしラドワンやフセインのように、多くの人々が再びシリアへと戻ってゆく。

第五章

日本、目に見えぬ壁

試練の日々

空港の到着ロビーに立ち、私はそのときを待っていた。「ようこそ日本へ、私の夫ラドワン」と書かれたアラビア語のプラカードを手に。まもなく到着ゲートからラドワンが姿を現すはずだ。この瞬間をどれだけ待ち望んだことだろう。

ヨルダンでの結婚後、ラドワンは、アラブ諸国と文化が遠い日本に来ることに前向きではなかった。当時彼は、シリアのアサド政権の崩壊を疑わず、いつかシリアに帰ることができると思っていたのだ。仮にそれがかなわなくとも、自分のルーツに近いアラブ諸国にいずれ居を構えたいと考えていた。そのため私は、ラドワンが暮らすヨルダンへの移住も考えた。しかし、シリア難民が増え続けていたこともあって仕事は飽和状態で、ラドワンの仕事も見つからず、私が職を得るのもまた難しそうだった。私たちは何度も相談し、安定して生活できる可能性が高い日本で暮らすことを決めた。

ビザの問題から半年の間、私たちはヨルダンと日本に分かれて暮らし、二〇一三年一一月にラドワンが来日できることになった。彼との生活に不安もあったが、今をどう生きるかに集中し、日々を送りながら二人にとって望ましい方向を模索することにした。

やがて、到着ゲートから満面の笑みをたたえたラドワンが現れた。私たちはすぐに互いを見つけた。駆け寄り、固く抱擁を交わす。これまで出会いと別れを繰り返してきたが、もう離ればなれになることはないのだ。ラドワンと私の、日本での新生活が始まった。

ラドワンは三カ月間有効の観光ビザで日本に入国した。三カ月の間に婚姻届を役所に提出すれば、国際結婚が受理される。同時にラドワンは配偶者ビザを取得でき、日本での就労が認められることになる。

だが予期しなかったことが起きた。日本に来て二週間も経たないうち、孤独感からラドワンがノイローゼ気味になったのだ。大家族に生まれ、ヨルダンでの難民生活ですら大人数で暮らしていたラドワンにとって、私とたった二人だけの日本の暮らしは、深い孤独感を伴うものとなった。彼は一日一〇時間近くもシリアの友人や家族とインターネット通話をすることで、なんとか自分を保っていた。

一方私は、二人分の生活を背負って働かねばならず、経済的に不安定だった写真の仕事も中断し、三〇歳を過ぎて初めて就職をした。私が外で働く間、ラドワンは日中一人家に取り残される。帰宅すると、彼は放心状態に陥っていた。そんなラドワンを見るのは辛かった。

故郷に残した家族や、かつての生活への思いが強いラドワンは、変化を受け止めるのに時間を必要としていた。そんな日々が続き、私はラドワンとの生活に不安を募らせていった。

それから二カ月。日本での婚姻手続きを先送りにしてきたが、それ以上の猶予期間が残されておらず、私たちは決断しなければならなかった。先行きは見えなかったが、私はヨルダンで覚悟を決めてきたはずだ。そしてラドワンもまた、私を信頼し、遠いこの国にやって来たのだ。試練の渦中ではあったが、この道を進むことを二人で再確認し、ようやく婚姻届を提出した。その日、朝まで降った雨が上がり、道端の水たまりに雲間から覗いた太陽が反射していた。水たまりに映った青空を見ながら心を決めた。ラドワンと、でこぼこ道を歩いていくことを。

婚姻届を提出する際に、私がラドワンの名を〝レドワン・アペトアッラティーフ〟と日本語化した。だが数年後、〝ラドワン・アブドュルラティーフ〟が正しいと判明し、シリアのパスポートのみならず、日本での身分証明書すら、生年月日も名前も全て間違っているという稀有な事態に陥った。笑い話だが、ラドワンはまとめて出生届を提出した二人の兄と全く同じ生年月日なのに、姓のアルファベット表記は全て異なっている。さらに一家の父親ガーセム、母親サーミヤ、そして一六人の子供たちは、書類上、全員が一月一日生まれだ。

結婚によって配偶者ビザを取得したラドワンは、日本で労働することが認められた。だが孤独感は募り続け、シリアで経験した絶望にとらわれてしまうのか、積極的に外に出られずにいた。

そんな彼がさらに戸惑ったのは〝現金がなくては生活が維持できず、生活を維持するために毎日働かねばならない〟という現実だった。

放牧業を営み、果樹園や畑を持ちながら大家族で暮らしていたアブドゥルラティーフ一家の場合、生活はほぼ自給自足に近かった。家族全員が常にあくせく働かなくても、それぞれが無理なく働いて、生活が成り立った。またシリアの平均月収に対する食費の割合は日本の十分の一ほどと格段に安く、裕福ではない家庭も、四季折々の野菜や果物、肉や魚を十分食べていくことができた。

またシリアは農業、商工業が盛んで、天然ガス、石油などの資源にも恵まれていたが、独裁政権下、社会主義を標ぼうするものの、誰が富を享受しているかは不透明であった。医療費、教育費はほぼ無料で、税金も制度としてはあったが、みな払っていなかった。電気・水道などのインフラも、正規料金はあったものの、多くが自身で勝手に水道管や電気のケーブルを引き、全く料金を払わずに数十年を過ごす者もいた。仮に露見しても、警官や役人に賄賂を渡し、見て見ぬ振りをしてもらう、ということが普通だった。実際、驚くべきことだが、今なおシリアに税金が存在することを知らないシリア人も多い。またアブドゥルラティーフ一家やその知人二〇名ほどが、少なくともこの五〇年ほどの間、全く電気代や水道代を支払った記憶がないと証言していることから（彼らも勝手に自分たちで電気ケーブル、水道管を引いたようだ）、いかにシリアのインフラ設備が、〝どうにでもなってしまう〟状況にあったかがうかがい知れる。

つまりは、政治的発言の自由こそなかったものの、生活するという点で、シリアは暮らしやすい国だったのだ。さらに地方のパルミラではその度合いが大きかったことから、ラドワンは日本に来て、一人が担う経済的な責任に驚き、動揺したのだった。

またシリアでは、家族や友人とのゆとりの時間（ラーハ）こそが人生の価値でもあった。だが日本では、ゆとりではなく、夢の実現や人間的成長に価値が置かれている。そうした価値観の違いにも、ラドワンは困惑した。

パルミラでは、家族でいくつもの仕事を掛け持ち、皆でまわしながら生きてきた。仕事と生活の間に、日本ほど明確な境界線はなく、生きるために必要なあらゆることを経験するのが〝働く〟ということだった。ラドワンも多くの経験をした。ラクダの放牧や日干しレンガ積み、羊のと蓄、サンドイッチ屋の店員、観光客向けの沙漠の案内、オリーブの実の収穫、飼料の運搬などだ。

だが日本では、仕事が見ず知らずの集団からなる組織として行われ、賃金を得ることに重きが置かれる。効率や完璧さも求められる。これらはラドワンが今まで一度も考えたこともなかった感覚だった。日本の職場で雇い主から注意されても、自分が何を怒られているのかさえ理解できなかった。

ラドワンは仕事を見つけてはやめることを繰り返した。〝日本語が不自由な外国人〟では、厳しい労働条件の仕事しか見つけられず、都内で内装工の仕事を得たのはいいが、四時に起きて始発電車で仕事に向かい、帰宅するのは夜一〇時という毎日が続いた。そんな生活を続けるうちに、ラドワンは心身共にボロボロになり、内戦下のシリアで政府軍兵士だったときのほうが、精神的にましだったと語った。やがてラドワンは、かつて難民キャンプで飢えに直面していた頃よりも痩せてしまった。

ラドワンが直面した問題の背景には、生きること、働くことへの根本的な考え方の違いがあった。全てをゆったりと構え、家族や友人との団欒を最も大切な時間と考えるアラブ人。彼はそうした生活を二〇年近くも送り、履歴書の〝過去の仕事欄〟に「日干しレンガ積み」「ラクダの放牧」と書いている。そんなラドワンが日本社会で働くのは難しい話だった。

言葉や文化の問題に加え、最後にラドワンがぶつかったのが〝難民〟としての問題だった。シリアでの日常から切り離され、再び家族と暮らせる展望を持てず、彼は深い喪失感とアイデンティティへの不安に駆られていた。難民の困難さとは、全てを失っていること、帰る場所がないことだ。自らのルーツがありながら、そこに属せない不安定さともいえる。さらには、それぞれの国で難民をどう捉えるかという定義の不確かさにも直面していた。

世界的な基準ではラドワンがシリア難民であることは間違いなく、彼自身も自らを難民だと考えている。しかし日本では、日本人の私が配偶者であるため、日本の法制度における「難民認定」は受けられず、「難民」として認められない。

一方ヨーロッパ諸国では、賛否両論あるものの、過去の世界大戦で大量の難民が発生した歴史から、難民が自立を目指すプログラムが整っている。実際、ラドワンと同時期に、トルコから船で地中海を渡り、徒歩と電車の移動でドイツまでたどり着いたラドワンの従兄弟たちは、早いうちに孤独感などから脱し、ドイツ社会に根付くことに成功している。彼らは電話口で、「生活を保障され、仕事の訓練もさせてもらい、不安なく過ごしている」とよく口にしていた。

来日して以来、一年近くノイローゼ気味だったラドワンの精神が安定に向かったのは、東京都八王子市にあるモスクに通い始めてからだ。モスクはムスリムの祈りの場であり、ムスリムコミュニティの核でもある。毎週金曜日には近郊に住むムスリムが集う。東南アジア出身者のほか、エジプト人やイラク人、モロッコ人、シリア人もいた。ムスリムにとってのアイデンティティとは、国籍や人種よりも宗教、つまりムスリムであることで、こうした同じ宗教を信仰する仲間との出会いが、ラドワンの行き詰まった状況に風穴を開けてくれた。

ムスリムコミュニティのある土地で暮らしたいというラドワンの希望から、ほどなくして私たちはモスクのある東京都八王子市に引っ越した。そしてラドワンは、アラブ人の仲間が手がけている仕事を紹介してもらい、塗装工、内装工、ビル解体現場、草刈り、引っ越し、中古自転車の輸送積み込みなど、とにかくできることを何でもやった。

それまでラドワンは、日本の企業では何をやっても続かず、二〇社ほどを転々とした。面接に行って働いては数日でやめるかクビになり、無職になる、という日々が延々と続き、私もラドワンもすっかり気が滅入ってしまった。だが、アラブ人が経営する会社では、収入こそ自治体が定める最低賃金よりもはるかに低かったが、ラドワンは働くことに幸せを感じた。

彼に言わせると、アラブ人同士では、文化を尊重した働き方が許されるため、リラックスできるそうだ。仕事を通して、次第に生き生きとするラドワンを目にし、彼がこれまで〝働けなかった〟のではなく、アラブ人として〝誇りや文化を保ちながら働ける場を求めていた〟のだと私は理解した。

こうしてラドワンは、日本で働いているアラブ人を通し、日本という国やここでの働き方、作法を学んでいった。日本のアラブ社会から、日本に少しずつ入っていったのだ。そしてそれが、彼にとって最良と思える道だった。

ラドワンの周囲のアラブ人は、皆同じ経験をしていた。はじめに日本社会に馴染めずに孤立し、もがく。そのうち、同じ文化を持った人々からサポートを受けて、働きやすい環境を整えていく。そうした経験をしたアラブ人たちは、まだ日本にやってきて間もない者が、かつての自分と同じように苦境に立っているのを見ると、躊躇なく救いの手を差し伸べるのだ。こうしたアラブ人の多くが自分のビジネスを持ち、経営者として働いていた。現地の事情に明るく、ネットワークがあることを生かし、日本と自国とをつなぐ輸出業を展開する者が多い。主な取引商品は車やその部品、バイク、自転車、車椅子、チャイルドシートからランドセル、そのほか多くの鉄製品。日本では余っているが、現地では必要とされているものを輸出し、ビジネスとして成功している者も少なくなかった。こうしてラドワンは、ムスリムコミュニティとアラブ人ネットワークからのサポートによって、長い低迷期から抜け出した。

共生への道

ムスリムとして日本で暮らすために、避けては通れないのが食べ物の問題だ。イスラムでは、宗教的に正しい行為を「ハラール」、その逆を「ハラーム」とし、食品に対しても明確な基準を示している。口にして良い食品はハラール食品と呼ばれ、近年では「ハラール認証」のマークが付けられている。一方、ハラームとして、特に口にするべきではないと強く戒められているのが豚肉とアルコールだ。

豚は雑食性で、何でも口にすることもあり、病気の感染源になりやすい不浄な動物とされる。さらに親子兄弟でも自然繁殖する活発な生殖傾向が疎まれる。イスラムでは、食べたものの習性が人間の身体に大きく作用すると信じられるため、こうした性質を持った動物を食べるのを良しとしないのだ。肉そのものが美味しいから、という目先の問題ではなく、ムスリムにとっては、それを食べることで自分の心身がどう変化するか、という壮大な問題なのである。またアルコールは、思考能力を停止させ、人間を堕落させるとする。それぞれが節度をわきまえて飲めばいい、という自己責任的な考えではなく、人間は弱い存在であるから、社会的に禁じることで堕落しない環境を作ろう、という考え方である。

食肉においては特に、ハラール認証を得たものを口にすることが勧められる。ハラールの食肉とは、イスラム教徒、ユダヤ教徒、キリスト教徒のいずれかが、宗教的行為に則って畜した肉をいう。この三つの宗教はルーツを同じくする「啓典の民」とされ、と畜する際、神に許しを請う共通のプロセスがあるのだ。ここで問われるのは、命を奪うとき、動物の尊厳が保たれているか、安らかに死を迎えられるかということだ。日本では、オーストラリア産、アメリカ産、ブラジル産の食肉がハラールの食肉に相当する。一方、どんなに高品質でも、日本の国産肉は全てハラームとされる。

面白いのは魚にはハラール、ハラームの観念がなく、どんな魚も食べられるという考え方だ。人間が直接命を奪うのではなく、水から引き上げると自然に死んでしまうからだという。

こうした、ムスリムならではの食べ物の問題には苦労した。日本では豚由来の調味料・香味料やアルコール類は食品に多用されている。それらが使われていない食品を探し、調理することや、レストランでメニューを選ぶことはひと苦労である。

ラドワンは日本語が読めないがために、誤って豚肉入りの食品を食べてしまったこともあった。あるとき彼は、コンビニでカップラーメンを購入した。その際、「ムスリムだから豚肉が入っているものは食べられない」と店員に話し、豚肉が成分として入っていないかを確認してもらった。そこには「ポークエキス」という表記があったが、店員が高齢だったため、豚とポークが同一だと知らず、店員は入っていないと答えたという。そしてラドワンはカップラーメンを口にした。その夜、台所でその容器を発見した私が、豚肉入りだったことを話すと、ラドワンはショックを受け、青ざめていた。「初めて豚肉を口にしてしまった」と。

ムスリムがそれほどまでに食のあり方を守るのは、神との約束だからだ。こうした宗教的な禁忌は日本人には理解しがたいものがあり、しばしば文化的な誤解も経験した。

あるとき私とラドワンは、シリア難民とイスラム教についての講座を都内のお寺で行った。多文化理解、特にイスラムについて知るという企画で、私とラドワンとで話をした。多くのお坊さんたちが熱心に話を聞いてくれ、良い雰囲気で講座は終わった。その後、みんなで昼食を食べた。昼食は、事前にお坊さんたちが用意してくださることになっており、あらかじめ食べられないものを聞かれていた。ムスリムであるため、豚肉やポークエキスの入ったものは食べられないと伝え、それを考慮してカレーを用意したということだった。ところが配膳が終わり、

「いただきます」をする直前の段階で、そのカレーの中にポークエキスが入っていることが判明した。調理係のお坊さんとの連絡の手違いで、ポークエキスの入ったカレールーを使ってしまったという。お坊さんたちは正直に話してくれた。

そこから困ったことになった。ラドワンは「食べられない」と言い、お坊さんたちは「みんなでありがたくいただきましょう」と言う。私はラドワンの宗教的なルールも理解しつつ、お坊さんたちの言い分もよく理解していた。せっかく用意してくれたものを食べないのは失礼にあたるとも思ったし、そのお寺は、食べ物を最後のひとかけらまで大切にいただくことを大事にしており、皿に残ったわずかなエキスさえパンで拭い、残さず食べていた。食事は命をいただくこと。だからこそ感謝してありがたくいただく。それが信条のこのお寺で、ラドワンの「食べない宣言」に、ひと波乱起きる予感がした。

解決策は、ラドワンが白米のみを食べることだった。ところが、出されたものはありがたくいただくのが徳を積む行為だとお坊さんたちも譲らず、食事会の席は、一気に気まずい雰囲気となってしまった。

「ワタシ　ブタ　タベラレナイ。ムスリム　ダカラ」とラドワン。一方お坊さんは、食事はありがたいもの、食べ残しをせず感謝していただきましょう、ここではその流儀を尊重しましょうと話した。すでに盛り付けられたカレーを前に議論は続いた。ラドワンは神との約束を守ることを、お坊さんは一片も残さずにいただき食に感謝することを重視していた。

信仰上の約束のため食べない側と、みなで一緒にカレーを食べてほしい側。互いに自分の立場を話し、それぞれの作法を気持ちよく実現できるよう試みたが、話は平行線のまま時間だけが過ぎた。結局、ラドワンと私は白米だけを食べることになった。気まずさだけが残った。双方が心の底から相手を理解できていないことは明らかだった。

講座ではイスラムについて話し、文化理解を図ろうとしたはずだ。そもそも、熱心にイスラムを理解しようと努めてくれていたお坊さんたちだった。だが、最後にはすれ違ってしまったのだった。

その夜ラドワンは、シリアにいる家族に電話をした。日本の寺で話をさせてもらい、お坊さんたちと友人になった。シリアについても理解してもらい嬉しかったが、豚肉の入ったものを食べろと半ば強要された、と。ラドワンの家族はそれに対し、「それは日本のテロリズムだ。そうしたテロリストに気をつけなければいけない」と話をした。その会話では、さらに誤解が進行していた。善意でお話会を企画して、昼食に招いてくださったお坊さんたちは、いつの間にか〝過激派仏教徒のテロリスト〟にされてしまったのだ。

両者はそれぞれが信ずるものを勧め、あるいは守ろうとしただけで、敵意はなく、むしろ善意の場だったはずだ。それなのになぜすれ違ってしまったのだろう。お坊さんたちは〝郷に入れば郷に従え〞が当然だと考え、ラドワンは郷に入っても自分の信仰を優先するのが当然だと思っていた。つまり根本的な前提が違うのだ。この出来事によって私は、相手を理解できないということを理解することの大切さを学んだ。話し合って解決しようと思うから衝突することもある。相手が前提すら異なった存在だと受け入れ、価値観が違っても、同じ場にいられる道を探すことが、本当の意味での共生ではないだろうか。

ラドワンの帰還とＩＳのパルミラ占領

二〇一四年六月、「イラクとレバントのイスラム国（ＩＳＩＬ・アイシル）」がイスラム国家の樹立を宣言、名称を「イスラム国（ＩＳ・アイエス）」に改名した。ＩＳはイスラム圏を統一し、イスラム法に沿った国家を樹立することを目標とする過激派テロ組織だ。シリア北部の油田地帯を勢力下に置き、寄進や略奪、密輸、税金、人身売買などから資金を得て、一時期は史上最も裕福なテロ集団とされ、中東地域を混乱に陥れていった。

彼らが自らを「国家」だと主張する「イスラム国（ＩＳ）」の名をあえて使用しないことで、彼らの主張を認めないという立場から、その呼称はメディアによりＩＳＩＬ、ＩＳＩＳ（「イラクとシリアのイスラム国」・アイシス）などと異なる。しかし本書では、彼らの暴力的な活動手段に対しては否定的な立場をとりながらも、一般化されつつあるＩＳという呼称を使用する。また現地の人々は、彼らのことを侮蔑を込めて〝ダーイッシュ〟（「イラクとシリアのイスラム国」のアラビア語の略称）と呼んでいることも記しておきたいと思う。

当初彼らは、権力の空白部を突くように、イラクからシリア北部にまたがる地域に勢力を伸ばし、二〇一三年一〇月に突如としてシリア北部のラッカに現れた。当初は、ラッカにおける反体制派の支援を申し出たという。しかし数カ月後には反旗を翻し、街の覇権を奪った。そしてイスラムの原点に回帰した思想や圧倒的軍事力で次第に人々の心を摑み、勢力を拡大した。気がつくとシリア北部を中心に、西はアレッポ付近まで、南はパルミラを取りまく広大な土地を勢力下に置いた。なぜこうもＩＳの快進撃が続いたのだろうか。

彼らはその圧倒的な軍事力と経済力でもって、シリアの解放者であるというプロパガンダを広めることに成功したのだ。ＩＳに加わった人々の理由は様々だった。信仰への純粋な信念から、または悪化する情勢への失望や、反体制派としての限界から、そして給与や報奨金に惹かれたという理由も大きかったようだ。ともあれ、政府に対抗できる新しい流れを作るのはＩＳしかいないという思いが、初期の段階において、シリアの若者たちの失望と結びついたことは確かだった。

ＩＳがシリア北部を掌握したとき、半数の人々は歓喜して迎え入れたという。イスラムに敬虜でありさえすれば、ISは市民を理不尽に虐殺することはなく、無差別の空爆を行う政府軍に比べればましだと思われたからだ。さらに政府軍の撤退は、政府に取り締まりを受けた多くの人々にとって、〝安全に〟シリアを訪ねられるチャンスにもなった。ラドワンもその一人だった。脱走兵として体制に指名手配を受けていたが、シリア北部のＩＳ統治下では堂々と移動できる。今後、政府軍が再び巻き返す可能性もあることを考えると、シリアの土を踏めるチャンスを逃すわけにはいかなかった。

その頃、パルミラの街自体は政府軍の占領下にあった。毎日のように政府軍と反体制派の衝突が起き、弾丸が飛び交い、政府軍による空爆も続いていた。身の安全のため、アブドゥラティーフ一家は郊外の沙漠にテントを張って生活していた。ラドワンにとって、それは好都合だった。沙漠には政府軍の手が及んでおらず、安心して家族と再会できそうだったからだ。

二〇一四年一〇月、ラドワンはトルコ南部、アクチャカレ郊外の山岳地帯からシリアに入国した。越境はもちろん違法だが、それしか方法はない。実際、シリア政府もトルコ政府も、去る者は追わず、来る者は拒まずの黙認の対応が続き、内戦が始まってから、トルコ・シリア間を膨大な難民が違法に行き来していた。

シリアに入国したラドワンは、ＩＳの占領下であるラッカを目指した。そこで、次第にこの街で影響力を強めつつあったＩＳ戦闘員たちを目にした。この頃、ラッカの住民はＩＳ戦闘員と比較的平和な関係性を築いているように見えたという。ラドワンの親戚がラッカで小さな商店を経営していたが、そこにＩＳ戦闘員がよく買い物に来ていた。彼らは気前がよく親切で、礼儀正しかったと後にラドワンは回想している。そのラッカにラドワンの兄の一人が迎えに来て、兄弟は人目を避けつつ、家族が暮らす沙漠へバイクで旅をした。二〇一二年夏にシリアを離れて以来、ラドワンにとって二年ぶりに立つ故郷の沙漠だった。

その日、ラドワンがやってくると知らせを受けた両親は、テントの外に出て、今か今かと地平線を眺めた。やがて、バイクで近づいてくる息子たちの姿を目にすると、ほろほろと涙を流し、駆け寄ってラドワンを迎え入れたという。ガーセムとサーミヤにとって、この二年間待ち望んだ息子との再会のときだった。

「生きてさえいれば、いつか必ず会える。お願いだから今はシリアから離れてほしい」

二〇一二年夏、兄サーメルの逮捕を受けて、サーミヤが息子のラドワンに懇願した言葉だ。それがきっかけで、ラドワンはシリアから逃れることを決め、そして今、母子は二年ぶりに生きて再会することができた。両親はラドワンに、彼がいなかったパルミラでの歳月を埋めていくかのように、いかにパルミラが破壊され、自分たちの暮らしが奪われていったかを語った。

一家は、ごく短期間に経験した信じがたい激動の中で、政治に干渉せず、淡々と暮らすことだけを心がけていた。男たちはわずかに消失を逃れた果樹園に水をまき、沙漠でラクダを放牧し、羊の乳を搾る。女たちはテントを掃き清め、子供たちをあやし、時間をかけて調理をする。彼らは、状況が変わることを忍耐強く待とうとしていた。そのうち以前の穏やかな暮らしが戻る、そう信じ、祈っていたのだ。

だがラドワンは、うっすら感じていた。自分がパルミラの沙漠に立つのは、これが最後になるだろう。そして家族と再びパルミラに住むことは、二度とかなわないのだろう、と。

ラドワンはこの地で二週間を過ごした。かつてのように沙漠でラクダの放牧をし、兄たちと枯れ木を集めてお茶を飲む。沙漠の太陽も砂も、以前と何も変わってはいなかった。平和な時間が流れた。

ラドワンは毎日のように、私の携帯電話に写真を送ってきた。兄たちとラクダの足を縛っている光景、沙漠の目の覚めるような赤い太陽、羊のヨーグルトを作っている母親の姿などだ。その全てに、ラドワンの、故郷との再会の喜びがあふれていた。パルミラで過ごす彼は本当に幸せそうで、表情は生き生きし、出会った頃のラドワンそのままだった。内戦下であっても、故郷こそが彼にとっての幸福の地だったのだ。

「故郷を離れたら、どこに行っても生きるのに苦労するだろう。だが、生きる努力を続けることだ」。ガーセムはラドワンに語った。自分たちの先祖が、遠いイラクの沙漠をルーツに持ち、住む土地を変えながら生きてきたこと。土地を離れても、人間は生きてさえいれば、また必ず出会えることを。その言葉から、ラドワンは薄々感じていた。ガーセムも、やがてこの地を離れる日が来ると考えているのではないか、と。

家族との再会を誓い合い、ラドワンは思い出があふれる故郷の沙漠をあとにした。彼が沙漠で見たのは、かつての牧歌的な暮らしを送る一家の姿ではなく、時の為政者の暴力に怯え、故郷を失いつつある一家の姿だった。

それから半年後の二〇一五年五月、ＩＳが政府軍からパルミラを奪い、占領した。政府軍と反体制派双方の衝突、政府軍からの空爆に苦しんできたパルミラの人々にとり、当初ＩＳは解放者でもあった。人々は彼らに、正体が見えない不気味さを感じながらも、戦闘が止み、治安が回復することを期待した。

今、ＩＳと聞けば、その残虐性、恐怖支配ばかりがイメージとして思い浮かぶだろう。実際彼らは、他宗教の弾圧や奴隷化、反対勢力やジャーナリストの殺害などを行い、国際的批判を受けた。だが、二〇一四年頃はイスラムにのっとった秩序もあり、理由なく市民に危害を加えることは少なかったとされる。イスラムの規範を忠実に守ってさえいれば、人々は政府軍の統治下よりもはるかに安心して暮らすことができたのだ。実際、市民の犠牲者数は、ＩＳによるものよりも政府軍の爆撃によるものが圧倒的に多かった。市民にとってはＩＳも政権側もどちらも脅威だったが、理由なく市民を殺傷しないという点では、二〇一四年頃はISを支持する市民も少なくなかった。

しかしISがパルミラを占領すると、市街地は政府軍とISとの衝突によってさらに焦土と化した。アブドュルラティーフ一家の住み慣れた家も、このときミサイル砲で吹き飛ばされて崩壊した。一家はいよいよ沙漠のテントをたたみ、倒壊した家から家財道具を運んで、パルミラから三六キロ離れた小さなオアシス、アラク村に移った。パルミラの家を失ったが、この小さな村では空爆も武力衝突の危険もなく、安心して暮らせると考えたのだ。

アラク村へ家財道具を運ぶ最中のことだ。一家はISの戦闘員の中に懐かしい顔を見つけた。ソフィアンだった。噂で彼がISの一員だと聞いてはいたが、その姿を目にするのは初めてだ。ソフィアンは隊の中堅的立場らしく、部下を引き連れていた。一家は懐かしい思いで声をかけた。しかし彼はかつてのソフィアンではなく、ISとしての権力に酔う、英雄気取りの青年でしかなかった。

ソフィアンはアブドュルラティーフ一家を一瞥すると、吐き捨てるように言った。「ここから立ち去れ」と。そして、それ以上何も言わずに通り過ぎていった。一家の父親ガーセムは、その姿を見て涙を流したという。ソフィアンは、一家の兄弟たちと一緒に育ち、共に沙漠で放牧をした。彼が喧嘩騒ぎを起こして警察に捜索されたときなどは、一家が団結して彼を守ったことも一度や二度ではなかった。アブドゥルラティーフ一家にとってソフィアンは息子の一人も同然だったのだ。しかしそんな思い出も、ソフィアンにはもはや遠い過去のものだった。

当初、〝パルミラの解放者〟と思われたＩＳは、次第に人々を暴力と恐怖で支配するようになった。市民や家畜に法外な税金を要求し、ＩＳ兵士のための住居も強制的に提供させた。従わなければ即時に拷問するか斬首する。その横暴ぶりが目に余るようになった。

パルミラの人々は理解した。住人を虐げるという点で、ＩＳも政府軍と同じだ。そして誰が街を占領しても状況は変わらないのだ。ＩＳは逆らう市民を公衆の面前で殺害し、遺体の一部を見世物にし、辱しめを加えることを繰り返した。相次ぐ戦闘、空爆に耐えてきた市民も、街中で絶えず血を見るようになると、耐えかねたように次々とパルミラを離れた。人々は精神的に破壊されていった。平和が戻ることを祈り、耐えてきた多くの市民は、もはや希望という拠り所を失ったのだった。二〇一五年一〇月、アブドゥルラティーフ一家もまた、アラク村からラッカへと逃れた。

その後二〇一五年から二〇一七年にかけ、パルミラでは幾度も政府軍とＩＳとの間で激しい戦闘が行われた。二〇一七年三月、最終的に政府軍がパルミラを奪還し、今に至っている。

両親との確執

ラドワンとの結婚で、私は両親から勘当されていた。娘が突然、想像の範疇を超えた男と結婚してしまったという、両親の精神的ショックは計り知れなかった。

「娘はいなかったものだと思うから、お前も親はいなかったものだと思え」と父に言われ、私は一年にわたって両親と連絡をとることができずにいた。結婚を急ぎ、両親に十分な説明、理解の時間を設けずに突き進んだ自分の判断に罪悪感もあり、申し訳なく思っていた。だが、〝イスラム教徒〟〝アラブ人〟と聞き、テロリストを連想している両親の理解を得るためには、長い時間を要することも覚悟していた。

私は両親に詫びを入れつつ、ラドワンと懸命に生きていることを手紙に書いた。生活を安定させるため、三〇歳を過ぎ、初めて就職もしたこと。志していた写真の道も中断したこと。とにかく両親には、私たちがなんとか生きていて、幸せだということを伝えたかった。実際は、日本に来たばかりのラドワンは孤独からノイローゼ状態になり、困難な精神状態が続き、私も辛い日々だった。だが自分で突き進んだ道だ。両親には安心してもらいたかった。

両親から勘当され一年が経った頃、父から手紙が届いた。久々に見る几帳面な父の筆跡。父は、秋田の日常の細々としたことを書いていた。実家で小さな犬を飼い始めたこと。みな元気だが、私たちを心配していること。手紙の最後に書かれた一文を目にした私は、思わず息を止めた。そこに、「ラドワンと一緒に会いにきなさい」としたためられていたのだ。

これまで私はずっと両親を悲しませ、困惑させてきた。それでも両親は、私たちを受け入れる道を選ぼうとしていた。

「これからの道は困難の連続だろう。しかし自分で決めた道だ。それを忘れないように」。手紙はその言葉でしめくくられていた。

二〇一四年夏、ラドワンと私は海のように広がる田園の風景を新幹線の車窓から見ていた。私が生まれ育った秋田へ――。故郷は緑に光り、山は青々と美しかった。私はずっとこのときを、両親と再会できる日を夢見ていた。勘当され、両親と音信不通になった経験を通して、私はこれまで当たり前だと思っていたことのかけがえのなさに気づかされた。無条件に自分を愛し、見守ってくれる家族がいることの幸せ、そうした家族とごく普通に連絡をとり合い、会うことができる幸せ。

新幹線を降りると、秋田駅の改札の向こうに父が立っていた。凛とした立ち姿に、遠目にもそれが私の父であるとわかった。その姿が目に入ると、私の内側で長くこらえていたものが、どうしようもなくこみ上げてきた。長い一年だった。この瞬間をどれだけ願ったろう。ラドワンは緊張した様子で父に近づき、二人は握手を交わした。両親がラドワンという存在を受け入れてくれた瞬間だった。

のちに両親はこう語っている。ラドワンと直接会い、ごく普通の若者だと感じた。それまで、〝イスラム教徒〟〝アラブ人〟という限られた要素から彼に対して偏見を持っていたことに気づいたと。

一方でラドワンも、当初、毎日晩酌をして酔っ払う私の父について、アルコール摂取を禁忌とするムスリムの立場から動揺していた。しかしそれぞれの土地に、今まで出合ったこともない異なった人間の営みがあることを知った。今、両親もラドワンも、文化的な〝未知との遭遇〟を繰り返しながら、互いへの理解を深めている。

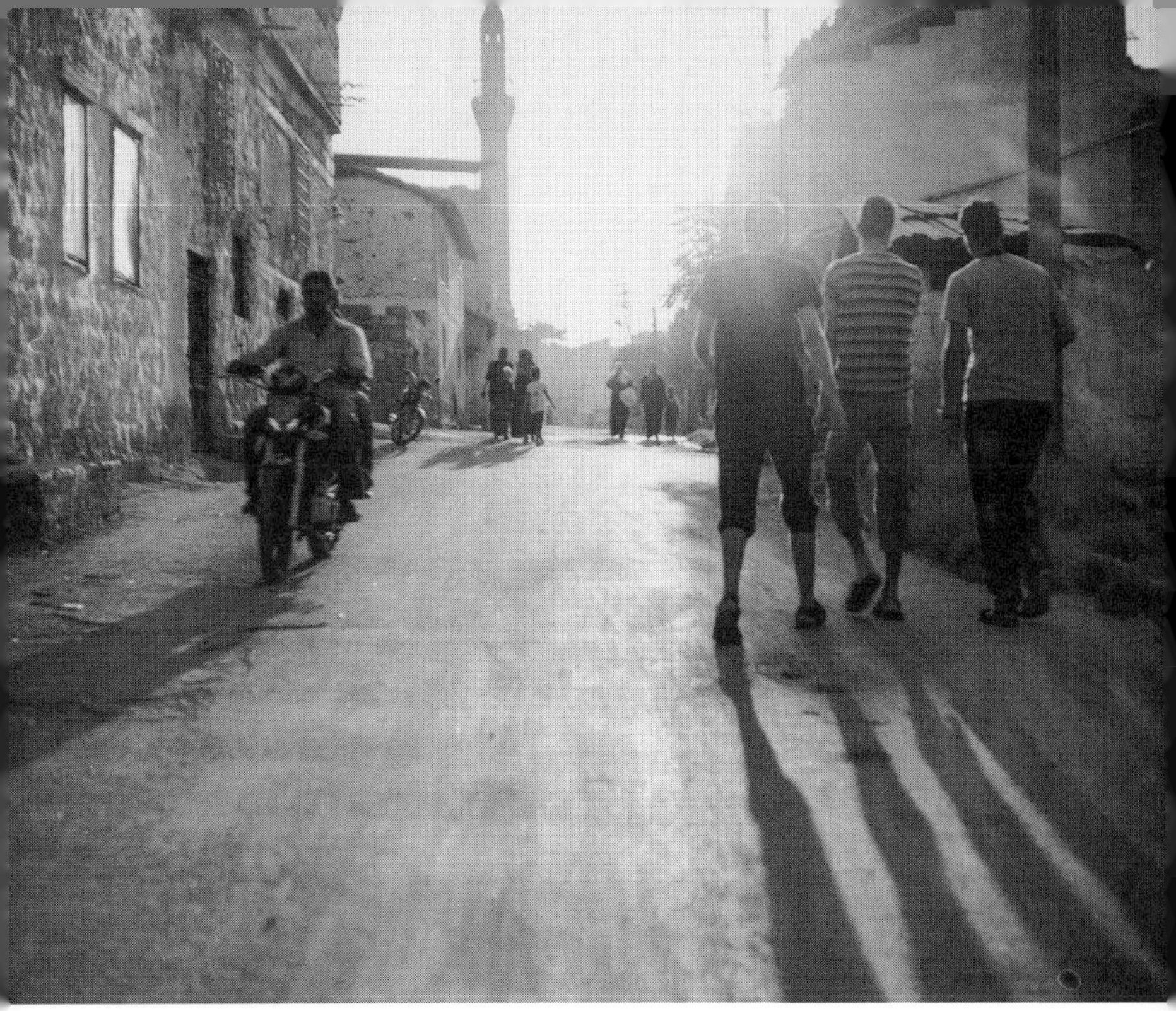

第六章

平和を待つ人々

国境の街レイハンル

日本に来て一年。ラドワンはレバノン人が経営する輸出会社で働いていた。扱っているのは主に中古自転車だ。自治体での保管期間が過ぎた放置自転車を安く買い取り、コンテナに積んで中東に輸出していた。こうした自転車の多くが、海を越えたアラブの国々へと運ばれる。ラドワンはこの仕事を通してアラブの国とつながることができ、さらにわずかな収入の一部をシリアの家族に送ることができた。継続して働けるようになると生活も落ち着き、ラドワンはシリアの惨状を日本人に伝える活動も始めた。

「想像してみて。シリアの子供たちは、みんなのようでありたいと願っているんだよ」

二〇一五年七月、ラドワンと私は、東京都大田区の小学校で子供たちに話をした。ラドワンは同じ年頃の子供がシリアでどんな暮らしをしているかを話し、自身の難民としての苦労を語った。

「みんなは今、平和の中に生きている。家族もいる。学校もある。友だちと勉強ができる。その幸せを考えてほしい。みんなは本当に幸運なんだ。世界にはそうでないたくさんの子供たちがいるんだよ。シリアの子供のように」

教室は静まっていた。子供たちは真っ直ぐな瞳でラドワンを見つめていた。

それから一カ月後の二〇一五年八月、ラドワンと私はトルコ南部に取材に赴き、乗り合いバスに乗っていた。車窓には田園風景がどこまでも広がる。目指すのはシリアとの国境の街レイハンルだ。

UNHCR（国連難民高等弁務官事務所）の統計によると、二〇一五年当時、内戦によって国外に逃れたシリア難民は約四九〇万人。うち、トルコにはその半数以上の約二五〇万人が暮らし、多くが南部に集中していた。トルコ南部に避難したシリア難民の大多数は、ラッカ、アレッポ、パルミラ、ホムス、イドリブなどのシリア北部から中部の出身者だ。政府軍による空爆やISによる支配に疲弊し、他に安全な行き場がなく、北に国境を接するトルコへ逃れるケースが圧倒的だった。トルコは、シリアに隣接する国々の中でも物価が安く、また少なくとも二〇一六年頃までは、難民の流入に寛容であることが知られていた。

目的地であるレイハンルは、シリア内戦が始まる二〇一一年以前は人口六万の小さな街だった。しかし難民の流入により、二〇一五年には約一五万人にまで膨れ上がっていた。物価の安さに加え、かつてシリア領だったためにシリアにルーツを持つアラブ系住民も多く、アラビア語が通じることや、シリア人コミュニティがあることも難民が集中する理由だった。

レイハンルのバスターミナルに降りると、国境の街らしく、シリア・トルコ間を行き交う人々が列をなしている。その群衆から距離を置くように、バスターミナルの隅で五、六人の女性が寄り添って座っていた。ためらいがちに声をかけると、振り返ったのは、まだ幼さが残る十代半ばの少女たちだった。数時間前にシリアからやってきたばかりで、出稼ぎのため、これからトルコ中部の都市の縫製工場に行くという。

以前のシリアでは、未婚の若い女性が出稼ぎに出ることは稀だった。しかし今では、シリア国内の物価の上昇もあって珍しいことではない。少女たちは乗り継ぎのバスを待っているようで、ぼんやりと遠くの空を見ていた。

「お腹が空いた。サンドイッチ食べたい」。少女の一人がそう言うと、私も、私もと次々に手があがり、みながどっと笑った。そのあどけなさに、ほんのわずかな間、彼女たちの本来の姿が垣間見えた。

街の広場は、難民であふれていた。若者は仕事を求めてさまよい、広場にたむろし、座り込んで談笑している。路上で働く幼い子供も多い。カンやビンを集めて工場などへ持っていくと、わずかな現金になるからだ。

この街で、ラドワンの甥のムハンマドに再会した。彼はラドワン同様二〇一一年から兵役のため軍隊に入ったが、情勢の悪化に伴い、二〇一二年に駐屯地から脱走し、トルコへ逃れていた。彼はこの街で、毎日〝ロバのように〟建設現場で働いているという。ラドワンは兄弟のように育ったムハンマドとの再会にしばらく肩を抱き合い、やがて私たちは連れだって歩き始めた。いつの間にか、後ろに三人の子供がついてきていた。六、七歳になるかならないかの、まだ幼い子供だ。一〇分ほど経って振り返ると、まだ後ろを歩いている。初めは少し離れて歩いていたが、次第に距離を縮めてついてくるようになった。「シリア人の子供に違いない」、とラドワンが言う。汚れた服、子供らしさのないどこか冷めた表情。苦労し、疲弊していることがうかがわれた。彼らがトルコ語ではなくアラビア語を話したので、やはりシリア難民の子供のようだった。そのうち彼らは、ラドワンや私の服を引っ張ると、「バクシーシ」「マニーマニー」と執拗に手を差し出した。バクシーシとは、イスラム教において貧しい者に施しをする〝喜捨〟のことで、ムスリムの義務のひとつだ。子供たちはお金を無心していた。ひび割れたプラスチック製のサンダルを履き、小さな歩幅で懸命についてくるその必死さに胸を打たれた。

するとムハンマドが口を開いた。

「この子たちにお金をあげちゃダメだ。彼らのために良くない」。ムハンマドはこの街でたくさんの難民の子供が物乞いをしていることを憂慮していた。汗を流して働いて収入を得るのではなく、哀れみを誘い、安易にお金を得ることを学んでしまうと。さらには、薄汚れた服装も悲しそうな様子も、親から教え込まれた演技だと言った。私は驚いて子供たちを見た。子供たちは怪訝そうな私の顔を見て何かを察したのか、黙って会話に耳を傾けていた。

「もしお前たちがティッシュを売りにきたら、一〇〇個でも一〇〇〇個でも、全部俺が買ってやる。だが、ただお金をあげることはしないぞ。働いて、その対価としてお金を得るんだ」

ムハンマドは子供たちに向かってそう話し、さらに自分もシリア難民の一人だと付け加えた。それでも子供たちはその場を離れようとせず、とにかくもらえるものは何でももらうのだという執念を見せた。そこでムハンマドが提案した。

「お金ではなく、キャンディーをあげよう。それで心は伝わるから」

私は子供たちの黒く汚れた、だが柔らかな小さな手に、そっとキャンディーをのせた。子供たちの目が一瞬キラリと光った。しかしそれがキャンディーだとわかると、不満そうに「チェッ」と舌打ちし、くるりと踵《きびす》を返した。三人は遊びながら、子供らしくじゃれ合って遠くへ駆けていった。これまでの暗く沈んだ様子がまるで嘘のように。ムハンマドが言うように、やはり子供たちは演技していたのだ。私たちは、その姿が遠ざかっていくのをしばらく見ていた。

大通りを歩いていると、サイレンが大音量で鳴り響いた。間もなく、救急車が通り過ぎていった。シリアからの傷病者を運んでいるのだという。激しい戦闘が続くシリアでは、多くの死者、傷病者が絶えることがなく、重傷患者は人道的特別措置として国境を越えたレイハンルに運ばれてくるのだ。この街は、重傷患者や、障がいを負った難民の療養地としても知られ、通りを歩けば車椅子や松葉杖を使う人々に出会うことも多かった。そのほとんどが、シリアでの戦闘による民間人の犠牲者だった。

コーラル・アフマッド

その家の庭には大きな桑の木がある。その桑の木を、来る日も来る日も窓辺のベッドから眺めているのは、パルミラからやってきたコーラル・アフマッド、二八歳だ。

二〇一二年五月のことだ。パルミラでは政府軍と反体制派の武力衝突が起こり、ほとんどの住民は銃撃戦に巻き込まれないよう外出を控えていた。床にタイルを敷く内装工だったコーラルも、治安の悪化とともに仕事がなくなり、自宅で毎日を過ごしていた。

その日、コーラルは、複数の発砲音を自宅で耳にした。どこかで戦闘が起きているようだ。一体、街のどの辺りで起きているのだろう。ほんの少しだけ、外へ出てみよう——。彼は好奇心に突き動かされた。戸口で音が聞こえる方角だけを確認し、すぐに中に戻るつもりだった。

戸口に立ったコーラルは、発砲音が思っていたより近くに聞こえることに驚いた。コーラルの家は街の中心部の市場に近い一角にあったが、戦闘はどうやら、市場の辺りで起きているようだった。そのとき、彼の身に異変が起きた。首が熱い。息が苦しい。身体の力が抜けるように、コーラルはその場に崩れ落ちた。

目覚めると、コーラルは知らない部屋のベッドの上に寝ていた。そこが病院だとわかるまで、時間はかからなかった。傍らでは誰かが泣いている。母親だ。その顔を見て安堵したが、同時に、違和感を抱いた。母親の涙が、自分が目覚めたことへの喜びだけではないことに気がついたからだ。

まもなく彼は、自分の身体に起きた重大な変化を知った。胸から下が動かせなくなっていたのだ。

コーラルは混乱状態に陥り、泣き叫び、暴れた。周囲にいた家族も、誰もどうすることもできなかった。コーラルは自分の感情のなすがままに従った。彼の苦しみは、彼が自分で向き合い、乗り越えるしかなかった。やがて数日が経ってコーラルが落ち着きを取り戻すと、家族は何が起きたのかを語った。

自宅の戸口に立っていたコーラルの首に流れ弾が命中したこと。意識を失った彼を、叔父が家の中に引き入れ、すぐに病院に搬送しようとしたこと。しかしコーラルが若い男性であり、かなり近い距離からの被弾だったため、公立の病院はコーラルの受け入れを拒んだ。反体制派兵士として戦闘中に被弾したのではないかと疑われたのだ。家族は、コーラルがただの市民として負傷したことを必死に訴えたが、信用されなかった。結局、三つの病院をたらい回しにされ、四軒目のホムスの病院で、ようやく緊急手術を受けることができた。しかしそこは、病院とは名ばかりの市民の有志による野戦病院だった。その手術中にも、コーラルと同じケースで、緊急を要する一般市民の負傷者が次々と搬送され、死亡していった。コーラルもまた、もう少し遅ければ、出血多量で命を落とすところだった。シリアでは重篤な患者でさえ、反体制派と疑われたら最後、医療を受けることができないのだ。

その後コーラルは三日間意識が戻らず、眠り続けた。やがて彼が目覚めると、コーラルの世界は全く違うものとなっていた。コーラルは当初、障がいを負ったことを受け入れられなかった。長い夢の中にいるようで、再び寝て起きれば、以前のように身体を動かせるような気がした。だがコーラルの首に当たった弾丸は頸椎《けいつい》を損傷させ、下半身が麻痺した。さらにシリアで受けた緊急手術では、設備が整っていなかったため弾丸が摘出されなかった。その後三年の間、コーラルの首には弾丸が入ったままだった。

二〇一五年八月、レイハンルの中心部にほど近い、シリア人が多く居住する地区にコーラルを訪ねた。彼は母親と兄の家族と借家に同居しており、長い間日光を浴びていないのか、青白い顔をしていた。コーラルの部屋は庭に面しており、葉を茂らせた大きな桑の木が窓から見えた。兄の子供たちが、その木の下でサッカーをして遊んでいた。

コーラルにとって、この街での難民生活はもう二年目になる。天気がいいと車椅子で外出もするが、疲れやすく貧血になりやすいため、外出はごく短時間で、一日の大半はベッドの上で過ごしている。着替えや食事、体位変換など、常に介助が必要で、こうした身の回りの世話は、六十代後半の母親が全て行っている。コーラルは、昼夜問わずの自分の介助が、母親に大きな負担を強いていることを申し訳なく思っており、母親の身体を心配していた。

さらにコーラルは、家族の暮らしを自分が圧迫していると気に病んでいた。彼の医療費は、国際機関からの援助で賄われているものの、日々のオムツ代、薬代は自己負担するしかなく、それらは兄の収入から捻出されていた。兄はチーズの製造・販売をして家族九人を養っているが、コーラルにかかる薬代などが月収の半分近くを占めていた。

それでも、故郷に帰るという希望が、コーラルやその家族を支えていた。母親が作った、紫色の桑の実のジュースを飲みながら、コーラルは語った。「トルコで治療を受け、自分の足で歩いてシリアに帰りたい。その日が来ると信じているから、今日まで生きてこられた」。「みんなでシリアに帰ろう」。微かに笑ったコーラルの瞳の奥に、確かに故郷のパルミラが映っていた。

第七章

難民の土地

破壊された故郷パルミラ

二〇一五年一〇月、パルミラがＩＳに占領されて半年。ＩＳは日に日に暴力的になり、人々を恐怖で支配した。街の象徴だった世界遺産パルミラ遺跡も偶像崇拝を理由に破壊され、二〇〇〇年以上の歴史を耐えた神殿は、巨石もろとも爆破された。パルミラの人々は嘆き悲しんだ。遺跡は人々の誇りだった。実際、遺跡があったからこそ、パルミラは観光客を集め、観光業で栄えてきたのだ。さらにＩＳは、政府軍への協力者を遺跡内で処刑し、見せしめにした。

南西に首都ダマスカス、北西に商業都市アレッポ、北東に農業都市ラッカ、それぞれからおよそ二〇〇キロメートルの地点に位置するパルミラは、古代、シリア沙漠のオアシスとして隊商の重要な拠点だった。現代でもその立地の重要性は変わらず、ＩＳの拠点になった。

ＩＳは空軍部隊を持たなかったため、政府軍からの空爆に備えて市街地に潜伏した。市民を盾にするつもりだったのだ。一方の政府軍は、そこに市民がいることなど構わず、ＩＳ掃討を目指して市街地に空爆を繰り返した。パルミラの街は赤く燃えた。市街地の八割は破壊され、多くの市民が犠牲になった。

パルミラ遺跡の破壊は全世界で大きく報道され、世界遺産の消失を嘆く声が聞かれた。しかし政府軍から激しい空爆を受け、多くの死傷者を出していたパルミラ市街の姿が、報道の表舞台に登場することはなかった。

アブドゥルラティーフ一家は、避難先の村アラクから、空爆を受けて燃えるパルミラの街を見ていた。戦況は収まる気配がなく、パルミラの市街地のほとんどが焦土と化した。もうあの街に居を構えることができないのだと悟ると、一家は耐えかねたようにラッカへの避難を決めた。ラッカはISの事実上の首都とされる。パルミラと同じISの勢力下ではあるが、当時は政府軍による空爆も少なく、比較的安全だとされていた。

――ラッカへ。それは、一家の終わりなき避難生活の始まりでもあった。ガーセムはパルミラの周囲の沙漠から、ラクダの群れをアラク村やラッカの郊外へと連れていったが、ラクダは避難生活で消耗し、次第に痩せていった。良い草が生える土地まで放牧に出られなかったからだ。ラクダは知らない土地の知らない草を食べて病気になったが、治療薬を買うお金もなかったため、多くのラクダが死んでいった。手元に残ったのは一〇〇頭のうち二〇頭ほどだけだ。ラクダも内戦による犠牲者だった。一家は残りのラクダを売ろうとしたが、買い手も見つからず、売値は内戦前の半分以下に下落した。

アブドゥルラティーフ一家の財産は、家や土地、ラクダや羊などの家畜だった。いずれもガーセムとサーミヤが半世紀近くをかけて築いたものだったが、それらは内戦後わずか数年の間に失われていった。

戻らなかったもう一人のラドワン

シリア北東部、ユーフラテス川北岸に位置するラッカは、古くからの農業都市だ。内戦後、多くの勢力が入り乱れ、「内戦の縮図」とも言われた。二〇一三年にＩＳによって占領された後、アルカイダとの関連によってテロ組織とされる反体制派のヌスラ戦線や、同じく反体制派勢力の一派である自由シリア軍に占領され、二〇一四年には再びＩＳに占領された。その後ラッカは、クルド人勢力の一派、シリア民主軍によって二〇一七年一〇月に陥落するまで、ＩＳの首都としてその名を知らしめた。

ＩＳ占領下、ラッカでは極度に偏ったイスラム原理主義的支配がなされた。女性は頭部を黒いブルカで覆わねばならず、男性もあご髭を伸ばしていない者は、一〇〇ドル相当の罰金が科された。タバコの売買や喫煙も許されず、インターネットや喫茶店の利用も制限された。一日五回の祈りの時間には必ずモスクで祈らなければならず、さもなければ身柄を拘束された。また戦闘員には高い報酬が支払われたため、貧しい者たちが生活のために次々とＩＳに入隊した。残虐な公開処刑も広場で日常的に行われ、政府の協力者とされた者、窃盗犯などが、詳しい取り調べもなく殺害された。

ラドワンの姉の二男に、同じくラドワンという名の若者がいた。前述したラドワンの甥、ムハンマドの弟だ。パルミラでは、アブドュルラティーフ一家の家のすぐ近くに住み、祖父母にあたるガーセムとサーミヤのもとを毎日訪れていた。二〇一五年当時は二四歳、背が高く、パルミラの土地の男には珍しいおっとりとした性格だった。ここでは彼の父親の名から、このラドワンを「ラドワン・ガッセン」と呼ぶことにする。

二〇一五年当時、ラドワン・ガッセンは、年上の従兄弟とラッカに暮らしていた。二年前の二〇一三年、政府軍からの徴集命令を拒んだ彼は、取り締まりを恐れてこの街に逃れてきた。ラッカはISの占領下にあり、政府の力が及ばず安全だと思えたからだ。ISの、急進的で異様な支配は知っていたが、彼らの掟さえ守れば恐れることはないと考えていた。

二〇一五年九月、ラドワン・ガッセンはラッカの大通りを従兄弟と歩いていた。路上では数人のIS戦闘員が人々の服装や持ち物を検閲しており、ラドワン・ガッセンと従兄弟も列に並んだ。やがて彼らの順番が来ると、戦闘員の一人が携帯電話を見せるようにと要求した。

それはIS戦闘員らによるごく日常的な検閲だった。女性たちがブルカで頭部を覆っているか、男性はあご髭を伸ばしているか。そうした外見上のイスラムの規範にとどまらず、思想や生活を監視するため、携帯電話やスマートフォンの中身まで確認していた。

どんな写真を撮り貯め、フェイスブックでどんな投稿をしているのか。メールの内容は？

もしそこに、イスラム的に正しくない画像――性を思わせるようなもの――や、ISを非難する内容、またはシリア政府を賞賛するような内容があれば、即座に連行されることになる。

ラドワン・ガッセンは、素直に戦闘員たちに携帯電話を渡した。こういうときのため、彼は常に注意を払ってきた。フェイスブックなどのSNS上においても、政治への関与や同調を避け、保存する写真にも気を配ってきた。何も恐れるものはないはずだ。

ところが、一人の戦闘員が声をあげた。その目はラドワン・ガッセンを睨んでいる。すぐに周囲にいた戦闘員たちが集まり、彼の携帯電話を囲んで覗き込んだ。

「これは何だ」「どこだ」。周囲がざわざわし始め、ラドワン・ガッセンの身体に悪寒が走った。ＩＳ戦闘員が見つけたのは、一枚の写真だ。男性がポーズを決めて立っている写真。ラドワン・ガッセン、彼自身のものだ。身にまとっているのは――緑色の迷彩服――政府軍兵士の軍服だった。ラドワン・ガッセンの顔から血の気が引いていった。

「これはお前だろう」。戦闘員が言い放つや否や、彼は必死に弁解した。

「この服は自分のものじゃない。叔父から借りて、このときに着ただけだ」。ラドワン・ガッセンの話は真実だったが、戦闘員たちは冷たい視線を彼に送った。その写真からラドワン・ガッセンは、政府軍の兵士だったのではないかと疑われたのだった。そしてシリアに徴兵制があるとはいえ、内戦下で政府軍兵士だったということは、ＩＳ戦闘員から致命的な背徳行為と見なされた。

その場にいた従兄弟も、ラドワン・ガッセンを守ろうと必死に説明をした。この写真は、彼が叔父の軍服を借りただけであり、家族全員がそれを証言できる、と。ラドワン・ガッセンはさらに、自分はそもそも政府軍からの徴集を逃れてここにいるのだと訴えたが、戦闘員たちは信用しなかった。ラドワン・ガッセンは泣き叫び、助けを乞うた。しかし彼は殴られ、押さえつけられてその場から連行された。政府軍からの徴集を逃れ、安全を求めてラッカへ来たはずの彼は、不幸にも政府軍兵士だったという真逆の疑いをかけられたのだった。この日以来、彼の行方は杳《よう》として知れない。


ラドワン・ガッセンの運命を変えた問題の写真。それは、別の従兄弟が、メールで彼に送ったものだったことが後になって判明している。ラドワン・ガッセンは、自分の携帯電話にその写真が保存されていたことを、本当に知らなかったようだ。

ラドワンをはじめ従兄弟や親族は、彼がもはやこの世にいないと考えている。ＩＳ占領下のラッカでは、背徳者と見なされた男性たちの大量処刑が毎日のように行われていた。彼らは目隠しをされ、処刑場となるユーフラテスの河岸や沙漠の窪地まで歩かされた。そして人間としての尊厳もなく、流れ作業のように無残に銃殺されていった。その遺体は、ユーフラテス川の河岸に大量に浮き上がって悪臭を放ち、沙漠の窪地に積み上げられて野犬や鳥に食べられ、ミイラ化した。ＩＳへの恐怖心と、次々行われる処刑に、もはや遺体を埋葬する者もいなかったという。ラッカは地獄のようだった。死の臭いが、街のあらゆるところにたちこめた。こうした状況下、ラドワン・ガッセンもまた、無数の捕虜の一人として殺害されたと、彼の家族は腹をくっている。

ただ、彼の母親だけが、今も生存を固く信じ、帰りを待ち続けている。

流転の果てに

ラドワン・ガッセンがラッカで行方不明になってから一カ月後の二〇一五年一〇月、アブドュルラティーフ一家のガーセムとサーミヤが、家族と共にラッカにやってきた。孫であるラドワン・ガッセンが行方不明になっているという悲報に心を痛めたが、一家にとっては、ラッカが最後の安全な地だった。実際、パルミラの住民は、国内では他に逃げ場がなかった。

西側のホムスでは政府軍と反体制派の戦闘が続き、激しい空爆に晒されていた。ヨルダンとの国境に近い、シリア南部の沙漠にあるロクバン難民キャンプでは、電気やガス、水道すら通っておらず、当時は店も病院もなく、テントがあればまだましで、地面にじかに寝て暮らすものも多い劣悪な環境だった。一方、北西部のアレッポ方面に行くには、政府軍の占領下を通らねばならず、民主化運動に関わって〝反乱分子〟とされたサーメルやジャマール、〝脱走兵〟のラドワンを輩出したアブドュルラティーフ一家は、迫害を受ける恐れがあった。こうした事情から、ISによる残虐な支配のもとで、たとえ〝制限された安全〟であっても、最低限の生活を送ることができると考えられたのは、ラッカだけだったのである。実際ラッカでは、二〇一五年一〇月当時、他の街で雨あられのように降っていた政府軍による空爆が、あまり起きていなかった。

ところが一家がラッカに逃れた頃から、ラッカの空に爆弾が降るようになった。ロシア空軍によるIS掃討作戦が始まったのだった。

「シリア政府軍とクルド人部隊の他に、シリアでISなどのテロ組織と戦える者は存在しない」。ロシアのプーチン大統領はそう主張し、シリア北部で台頭し始めたクルド人勢力の影響力を認め、弱体化するシリア・アサド政権への軍事支援を宣言した。こうしたシリアへの軍事介入を、ロシア国民の多くは支持し、プーチンの支持率は過去最高の八九・九パーセントを記録した。

安全を求めて逃れてきたはずのラッカで、アブドュルラティーフ一家は再び空爆に怯えなければならなかった。ロシア空軍はあくまで〝ISの資金源を断つため〟に、石油施設や関係車両、軍事施設などを空爆したと発表したが、ISが市民を自らの盾にしたため、結果的に多くの市民が犠牲になった。空爆は、ラッカがクルド人勢力の一派、シリア民主軍によって二〇一七年一〇月に陥落するまで続いた。人々は、ロシア空軍によるものだけでなく、アメリカが主導する有志連合の空爆にも苦しんだ。いずれの勢力も〝IS掃討〟というスローガンを掲げていたものの、多くの市民が崩れた瓦礫の下敷きとなり、犠牲になった。

ラッカでの凄惨な日々は、もはや安全な地はシリアに存在しないことをアブドュルラティーフ一家に知らしめた。もはやシリアという国は、市民の手ではどうすることもできない状態となり、自らの命も、自らの手で守るほかなかった。一家は安全を求めてさらなる移動を決めた。生き延びるために――。ラッカに逃れて二カ月後の二〇一五年一二月のことだった。

ラッカからの脱出は簡単ではなかった。アブドュルラティーフ一家同様、ラッカの住民の多くは空爆に怯え、ISの占領下を出ようと、街の郊外の検問所に殺到した。しかしラッカから大量に人が流出すれば、ISとしての国家機能が弱体化する。また人々を、空爆に対抗するための人間の盾にしたいという狙いもあり、戦闘員たちは人々の脱出を制限した。

しかし例外もあった。老人や病人、障がい者などは、証明書一枚で街を出られたのだ。だが一般市民は、特別な許可証を取得するか、ISに高額な通行料を支払わなければ街を出ることができなかった。

それでも人々は、命がけの脱出劇にかけた。アブドュルラティーフ一家も同様だった。まずガーセムとサーミヤが、ガーセムの病気を理由に証明書を取得し、ISの正規の検問所から脱出する。その後、残りの家族が次々と、ラッカ郊外の秘密のルートから脱出を図った。ISの支配下にあっても、秘密裏に出入りをあっせんする裏ビジネスは存在し、こうした密入国業者の手を借りたのだ。

シリア人は〝賄賂〟や〝違法手段〟を最大限に利用し、どんな状況下でも生き抜いてきた。むしろそうしたものがなければ、この土地で生きてこられなかったのだ。違法か合法かは、もはやどうでもいい。そんなことより、ここで最善の選択ができるか、生き延びられるかどうかが肝心だった。ラッカから脱出したアブドュルラティーフ一家は、トルコへと国境を越えることを申し合わせていた。二〇一六年一月、一家は悲痛な思いでトルコの国境を越えた。

トルコ側のシリアとの国境の街、アクチャカレ。シリアから目と鼻の先のこの街で、ガーセムとサーミヤは新たな生活を始めた。シリアには三人の息子たちが家畜の世話のために残ることになったが、その他の息子たちは両親を追い、次々とトルコに入国した。当初、ガーセムとサーミヤは、戦況がやがて落ち着き、シリアに帰れると固く信じていた。そのため、冷蔵庫やストーブ、洗濯機などの大型家電の購入を頑なに拒んだ。それらを持たないことが、この老いた夫婦の、〝シリアへ帰る〟という意思表示だったのだ。

二〇一六年二月、両親がトルコに入国したことを知ったラドワンは、ガーセムとサーミヤが暮らす国境の街アクチャカレへと向かった。前回両親に会ったのはIS占領下のパルミラで、二〇一四年一〇月のことだ。そのときは人目を忍んでの再会だったが、今となっては、トルコで堂々と会うことができた。

パルミラ、アラク村、ラッカを転々とし、行き場を失ってトルコに逃れてきた両親は、疲労困憊していた。特に父親のガーセムは、心の病からすっかり痩せていた。数十年暮らしてきた家や、財産だったラクダの群れ、沙漠の風土とともにあった生活を失い、放浪し、なすすべなくその日暮らしをする家族の姿が惨めに思えた。

ガーセムは若い頃から働きづめの人生だった。ようやく子供たちが自立し、孫が生まれ、伝統や財産が引き継がれていく。その矢先に内戦が始まり、築いたものをわずか数年で失った。ガーセムの落胆は家族から見ても可哀想なほどで、失意から一気に歳をとり、寝ている時間が増えた。体調もすぐれず、無口になった。かつて働き者で知られたガーセムのこうした変化は、パルミラでは考えられなかったことだ。一家の兄弟たちは、そうした父を励まし、いたわった。

ラドワンは両親のもとに二週間滞在した。母サーミヤの手料理を食べ、父や兄たちと語り続けた。彼らの話のほとんどは、パルミラの友人や知人に何が起き、どこに逃れてどうしているか、という話で、膨大な親族や友人を持つ彼らの話題は尽きることがなかった。ラドワンは、自分たちにはパルミラという故郷がもうないのだという思いに駆られた。幸福のうちに過ごしたあの土地は、二度と戻ることのない日々とともに彼方に消えようとしていた。

それから間もない二〇一六年四月、私とラドワンは小さな光を得た。二人の間に子供が生まれたのだ。ラドワンは、内戦で行方不明になった兄サーメルの名をその子につけた。――サーメル。それはアラビア語で「夜の光」を意味する。まばゆい光ではなく、暗い夜の闇にそっと存在する光だ。どうか兄が命をつないでいるようにと、祈りを込めた命名だった。

沙漠に木を植える

二〇一八年六月、二歳になった息子サーメルの手を引き、私はトルコを目指していた。お腹には新しい命が宿っており、妊娠七カ月。私とサーメル、そしてお腹の赤ちゃんとの三人旅だった。ラドワンも両親との再会を望んでいたが、トルコがシリア難民の入国を制限したため、入国できなかった。父親のガーセムの体調が良くないと聞いた私は、できるだけ早い段階で子供を連れ、彼らのもとに行くことにした。

二〇一六年一月にトルコに入国してからというもの、アブドュルラティーフ一家は二年半にわたってトルコ南部の地を転々としていた。一家の息子たちは、食料品店を営んだり、農作業の日雇いや工場労働者として働きながらその日暮らしを続け、やがて高原の街オスマニエへたどり着いた。

オスマニエはトルコ南部、オスマニエ県の県庁所在地だ。野菜や落花生の産地としても知られ、広大な畑地が広がっている。国境のアクチャカレや大都市ガズィアンテップに比べると規模は小さいものの、シリア人コミュニティも存在した。一家は、と畜業と羊の放牧業をこの地で試みようとしていた。

私がガーセムとサーミヤに会うのは二〇一一年以来、約七年ぶりのことだ。二人はずいぶん齢をとっていた。杖を使わねば歩けず、歩行もゆっくりしたものになっていた。特にガーセムは痩せて頬もこけ、かつての大柄で力強い印象がなかった。

私は最後にパルミラを訪れた二〇一一年のことを思い出した。伐採したオリーブの木をガーセムと運び、薪割りをした。ガーセムは七〇歳過ぎとは思えぬ堂々とした体軀で、「ヤー!」「アー!」と勇ましいかけ声をあげ、斧を振り下ろして薪割りをしていた。彼は仕事を愛し、働けることが誇りのようだった。そして自分が慣れ親しんだ土地に、子供たちやその子供たちが生きていく姿を見るのが幸せそうだった。

あの頃は、内戦によって一家が暮らしや故郷さえ失うことなど、想像すらしなかった。再びガーセムとサーミヤに再会するのが、パルミラではなくトルコとなろうとは――様々な思いがこみ上げた。ただ、歳をとりながらも、二人が生きていたことが嬉しかった。

ガーセムとサーミヤは、サーメルを交互に抱き上げ、顔をほころばせて笑った。その表情に、ほんの一瞬だけ、七年前と変わらないあの日の二人を感じた。

ガーセムはシリアでの日々について多くを語ろうとせず、ただ、「パルミラはもうなくなった」と話した。そこにはかつての街も、家も、仲間もおらず、そうした意味で、故郷はもうないのだと。

「パルミラでの生活の全てが、時間をかけなければ築けないものばかりだった」。ガーセムは最後にそう呟いた。

一家の兄弟たちは、オスマニエの郊外に土地を借り、牛や羊を飼い始めていた。家畜の世話をする兄、搾った乳を売りにいく兄、羊を解体し、肉屋に販売する兄、といった風に、家族内でいくつもの仕事を分担し、協力してこの困難な状況を打開しようとしていた。その姿は開拓者のようでもあり、土地は違えど、かつてのパルミラでの生き方を思わせた。

ガーセムは〝我々は全てを失った〟と言う。しかし、彼らがパルミラで〝最も大切なもの〟

として守ってきた〝家族の絆〟は失われずにここにあり、異郷に生きるという困難を前にして、その結束はさらに強いものとなっていた。

「次に君がここにくるとき、我々の家が建っているよ」。ガーセムが自慢げに話した。「我々の家だよ」と。すでに家を建てる土地も決めているそうだ。ガーセムは自らは語らなかったが、墓地も購入したと兄たちから聞いた。家を建て、墓地も準備した。そこに、表立ってははっきりと語ることのないガーセムの思いを知った。この土地に種を蒔き、新たな木を植える。自分はここに朽ちるかもしれないが、ここに家族の命をつないでいく、と。

オスマニエを離れる前夜、私たちはガーセムとサーミヤ、同居する家族と共に、皆で屋上のコンクリートの床にゴザを広げて眠った。ポリプロピレン製のその青いゴザには、「UNHCR（国連難民高等弁務官事務所）」と書かれていた。このゴザは、もともとシリア国内の難民キャンプで配布されたものが転売されたようで、一家はラッカの市場でこれを購入した。彼らの避難生活で旅路を共にした、その薄い、土埃に汚れたゴザの上で、私は彼らが越えてきたはるかな道を思った。ゴザの生地の間に小さな砂粒が挟まっているのを見つけ、それがシリアの砂であるかもしれないと思うと、その砂粒さえ愛おしかった。シリア、帰れない故郷。頭上に、いつかパルミラで見たオリオン座が見えた。

異国に生きる

多くのシリア難民が暮らすことで知られるシリア・トルコ国境の街、レイハンル。二〇一五年に取材で訪れたこの街を、二〇一八年に再訪した。二〇一五年当時、シリア人は難民となってからあまり日が経っておらず、平和な土地に逃れた安堵感と、新しい生活への期待にあふれていた。人々は、「サナルジャー（皆で帰ろう）」という言葉を合言葉に、シリア帰還を夢に見ていた。

しかし二〇一八年になると、トルコに暮らすシリア人の内面に変化が生まれていた。「サナルジャー」という言葉を使わなくなり、シリア帰還ではなく、新しい環境に適応することへと意識が向いていた。終わりの見えないシリア情勢が、人々に、シリアへ帰る日が遠いことを悟らせたのだ。

避難生活を送るシリア人のほとんどは、経済的、政治的に不安定な日々を送っている。その背景にあるのが物価の高さと言葉の違いだ。トルコは、シリアの周辺国の中でも、ヨルダンやレバノンに比べれば物価が安いが、それでもシリアの約二倍だ。言語や民族、社会システムも異なっていることから、仕事を得ること自体が難しい。シリアで医師だった男性が、避難先のトルコでは医師として働けず、ゴミ集めをしてなんとか生活を維持しているという話を聞いたこともあった。また仮に仕事を得ても、トルコ南部でのシリア人の日給は、トルコ人の二分の一から三分の一であることが多く、自力で生活の再建を図るのは容易ではなかった。

こうした問題の陰で、新たに生まれた文化もある。例えば結婚形態の変化だ。スマートフォンが普及し、日常的にインターネットの情報の波に触れることで、社会構造が急速に変化したのだ。かつてのシリアでは、結婚は親同士が決めるものだったが、今では自由恋愛が増えている。内戦で既存のコミュニティが解体され、親族も散り散りになってしまった今、避難先の新しいコミュニティに結婚相手を求めるようになった。

さらにスマートフォンの普及は、難民自身のあり方をも変えている。「生活上、最も必要なものは？」と尋ねると、現金以上にスマートフォンだと答える難民がほとんどだ。実際、どんなに困窮している難民も、一家に一台は必ずスマートフォンを持っている。スマートフォンは比較的安価に持つことができ、多様な情報を入手でき、内戦で国内外に散らばった家族や知人と連絡をとり合うことができるからだ。またＳＮＳを通じて仕事を探したり、必要な支援を募る難民も多い。

シリア難民が抱える問題の中でも、貧困や孤立などの問題は表面化しやすい。だが、彼らの本当の困難は精神面にある。それは家族や故郷、かつての暮らしから、突然に切り離されてしまったというアイデンティティの喪失によるものだ。

二〇一七年にヨルダンで出会ったあるシリア難民の女性の言葉を思い出した。

「大きな木を違う土地に移しても、木は枯れてしまう。歳をとった木ほど、土が違えば生きるのが難しいの。私たちも同じよ。シリア人は、みな大きな木。違う土地に移ったら、本当の意味では生きられないの」

シリア人が生きてきたのは、先祖たちの物語が連綿と受け継がれる土地。大家族や多くの友人、知人と生活を共にする、重層的で根深く、枝の広いコミュニティだった。私は気づいた。シリア人が〝故郷〟と呼んでいるのは、土地そのものよりも、むしろ土地に生きる人の連なりだ。つまり、シリア人にとっての故郷とは人なのだ。

終章

夜の光

それぞれのシリア内戦

パソコンの画面に青年の顔が映し出される。彼は、寝そべってタバコを吸っている。二〇一九年の冬、ラドワンは毎週日曜の朝の日課として、今日もその相手に電話をかけた。マフムード、二八歳。ラドワンにとって従兄弟でもあり、幼なじみだ。「おはよう、元気か」。二人はいつものように挨拶を交わした。

二〇一一年一月、ラドワンが徴兵されるのと時を同じくして、マフムードも徴兵された。彼が配属されたのはシリア北西部イドリブの駐屯地だ。同時期に入隊したラドワンとマフムードは、その配属先の違いによって、運命が大きく変わっていった。

ラドワンが配属された首都ダマスカスでは、活発化する反体制運動を牽制するため、軍隊が武力弾圧を行った。ラドワンもまた、市民に銃を向けるよう強要され、深く思い悩んだ。一方、マフムードが配属されたイドリブでは、もともと政府軍の影響力が強かったため、大規模な反体制運動も起こらず、市民の弾圧に加わる機会もなかった。

兵役は二年間だったが、ラドワンがそうであったように、内戦が始まってからは多くの兵士が脱走した。脱走兵の増加に政府は危機感を強め、兵士に給与を支払うことで人員を確保する方法をとった。それまで一カ月に一〇〇〇円ほどだった兵士の給与は、その二〇倍以上の二万五〇〇〇円にまで上がった。これは公務員の月収に相当する額で、物価が高騰し続ける内戦後のシリアにおいて、非常に安定した魅力的な金額だった。

マフムードが駐屯地で日々行うのは、軍事訓練と事務仕事だ。実戦に駆り出される可能性は皆無ではないが低かった。危険が少なく高収入、さらに彼に言わせれば、多くの時間は寝て過ごすことができた。その待遇に満足したマフムードは、入隊して九年が経っても政府軍の一員だった。

ラドワンは何度か、マフムードに問いただしたことがある。政府軍に所属しているだけで市民の殺戮行為に加担しており、終わらない内戦の一端を担っていることにならないか。後ろめたさはないのか。しかしマフムードは毅然として反論した。

「駐屯地では一般市民と接触する機会すらない。十分な給与をもらい、危険もない。なぜわざわざ、この境遇を捨てる必要がある？」

マフムードは本当に一日の大半を駐屯地で寝て過ごしていた。兵士となって九年目の彼は、小部隊をまかされる上官だ。部下が増え、賄賂をもらいながら様々な権限を行使できた。

「政府軍の上官は特別な立場だ。油を買いにガソリンスタンドに行くと、たとえ五〇〇人が待っていようと、一番先に買わせてもらえる。賄賂もかなりの額だ」。マフムードは政府軍の上官としての特権を味わい、優越感を抱いていた。彼のパルミラの実家は空爆で破壊され、家族は全員トルコで避難生活を送っていたが、マフムードはこのまま政府軍の一員であることを望んだ。

ラドワンは、たとえマフムードが直接武力行使をする機会がなくても、政府軍という加担者側に加わり、単なる傍観者でいようとするのは罪だと考えていた。だがマフムードはそうは考えず、二人の会話はいつも平行線をたどった。かつては家族同然だった二人は、境遇の違い、さらには選択の決定的な違いによって、今や以前のような付き合いではなくなったのだ。だが、マフムードがシリアにとどまり、政府軍上官となって私腹を肥やすのを見ても、ラドワンは自分の選択――軍を脱走し、難民となったこと――を後悔することはなかった。ラドワンの日本での生活は困窮状態で、マフムードより貯金もなかったが、自分の意志で、それも危険を冒して〝シリアを離れる〟という信念を貫いたことを誇りに思っていた。

以前のラドワンは、マフムードと話すたび、自らの状況を嘆いていた。マフムードは多くを得て、自分は失ったと。だが今、ラドワンの考えは逆だ。マフムードは失い、自分は多くを得たと感じている。難民となって七年、ラドワンは苦労の連続だった。だが荒波に揉まれたことで、今後何が起ころうとも、そこで生き抜こうという覚悟が定まったのだ。

二〇一四年にＩＳの戦闘員になったソフィアンは、二〇一七年にＩＳが勢力を失うと、部隊から脱走を図ってトルコに逃れた。現在彼は、トルコ南部の街に暮らしている。彼が夢見た故郷での暮らしからは遠ざかったが、新しい土地で結婚し子供も生まれた。

ソフィアンのような元ＩＳ兵士たちの行く末は様々だ。トルコでは、テロへの懸念から、「テロリストとして活動した罪」でこうした人々を取り締まっているが、身元を知られないいま、ひそかに大衆の中に生きている者も多い。サンドイッチ屋の店員、レストランのウエイター、中には小学校で教師をしている者もいる。

ソフィアンをはじめ、ＩＳの戦闘員だった若者を私は何人か知っている。内戦前、アブドュルラティーフ一家に出入りし、共にラクダの放牧をして知り合った若者たちだ。彼らとは、幾度となく食事を共にし、お茶を飲み、家畜の世話をして働いた。彼らはごく普通の若者たちだった。巷ではテロリストとひと括りにされるが、彼らが戦闘の先に求めていたのは穏やかで平和な日常であったはずだ。そうした彼らが、なぜ過激派思想を掲げ、暴力行為を肯定したＩＳに加わったのだろう。

もともとは反体制派として活動し、その後ＩＳへと流れた者も多かった。政府軍の圧倒的武力の前に限界を感じたのだ。過激派が台頭していく背景には、自らの力ではどうしようもない貧困や失望の連続、切迫した状況があった。ＩＳへの参加は、そうした追い込まれた人々の、唯一とも思える選択肢として、希望を抱いて選びとられた結果なのだ。

内戦後、私が知るシリア人の生き方は、大きく分かれていった。マフムードは武力行為に加担しない政府軍兵士として、傍観者でいることで自らの平和を待とうとしている。ソフィアンは積極的武力行使でしか平和を実現できないと信じ、ＩＳ戦闘員として戦った。そして脱走兵となったラドワンは日本人女性と結婚し、日本で暮らしながらも、シリアから心が離れることはない。政府軍兵士、ＩＳ戦闘員、脱走兵――。みな故郷を思い、かつての素朴で満ち足りた日々を夢見ていた。しかし同じ夢を持ちながら、立場が決定的に異なっていったのは、どのようにして平和を実現するか、その方法の違いからではないだろうか。静観か、過激派の力を借りてでも戦うのか、それとも異国で時を待つのか。

ラドワンは、この内戦によってこうして立場を違えた友人たちと、友人でい続けようと努力している。現役の政府軍兵士であるマフムードとの関係もそうだ。多くの市民を殺戮した政府軍という組織と、マフムードという個人は別物であり、そこで人間を線引きすることはしない。それは、内戦によって土地や人間が分断された故国シリアへの、ラドワンの信念でもある。

内戦が問うもの

シリアで内戦が始まって一〇年目を迎えた。国連が「今世紀最悪の人道危機」とまで呼びながら、国際社会をもってしても止められなかったシリア内戦。それは人類史上の悲劇として歴史に刻まれるだろう。

シリア情勢はここ数年で刻々と変化した。政府、反体制派、ＩＳ、クルド人組織など大小数百を数えるグループが現れ、衝突した。シリアの国土は荒廃し、もはや計測不能とされるほどの死者と難民を生んだ。内戦前の人口約二二四〇万のうち、シリア人権監視団によると、五八万人以上が死亡ないしは行方不明となっている。また国連によると、五六〇万人以上が国外で難民となり、国内にはさらに六一〇万人の避難民が存在する。人口の半数以上が家を失っているのだ。

こうした状況下、シリア国内では現在も、様々な集団がそれぞれの思惑のもとに介入を続けている。そんななか、ロシアやイランの軍事援助を受けたアサド政権は、内戦前よりも強力な圧政を敷き続けている。

今後、この国がどのような歴史を歩むのか、誰も予測できない。しかし、あれだけ多くの犠牲者を伴い、国土に血を流しながら、民主化は実現されず政権も倒れなかった。その絶望的状況を、我々はどう捉えればよいのだろう。数さえ把握できないほど多くのシリアの人々が、今日も不安定な状況で異郷に暮らしている。人々が心から安堵し、故郷に帰る日が来るまで、本当の意味でこの内戦が終結したとはいえない。

この内戦の本質を捉えることは実に難しい。立場や組織によってその見方は変わり、日本においても専門家の間で考えが異なっている。

しかし私はあえて一言だけここに記しておきたい。シリア人は、国際的に〝シリア内戦〟と称されるこの動乱に、「内戦」という言葉を使わない。彼らは「革命」という言葉を使うのだ。たとえ現状が混沌そのものであっても、この一連の出来事が、確かに〝自由〟という人間の当然の権利のもとに戦われたこと。そして破滅に向かうためではなく、いつか実現されるだろう、より良い未来のために起こった出来事だったと信じている。シリア人にとってこの動乱は、民主化という理想のもと、多くの犠牲を伴いながら進められようとした歴史的な運動だったのだ。

内戦前のシリアには、経済的側面からではなく、暮らしや文化をもって人間としての豊かさを享受できる日常があった。相互扶助の非常に強いコミュニティに生きていたため、貯蓄や安定した仕事がなくても、助け合って暮らすことができた。食料も豊富で安価だったため、貧しい家庭でも飢えに直面することはほとんどなく、人々は労働や経済性や利便性ではなく、もっと人間の暮らしの根本的なもの——家族や友人を愛し、愛されること——そうしたことに人生の大部分を費やしていた。

そのシリアがなぜ、「今世紀最大の人道危機」と言われるほどの混乱に陥っていったのだろう。この内戦について私なりに考えたことがある。

まず、他国から支配されることが長かったシリアの歴史だ。近代ではオスマン帝国領に、さらに第一次世界大戦後はフランスの植民地となった。一九四六年に独立を果たしたが、クーデターや軍事政権の樹立が相次ぎ、不安定なまま現在のバッシャール・アサド大統領の父親、ハーフィズ・アサド大統領が一党独裁政権を樹立。現在まで親子二代で五〇年近い独裁が行われている。こうしたなかで人々は、民主化の経験がないために具体的なビジョンを描けないまま、政治運動に参加したのではないだろうか。

実際、ラドワンをはじめ、これまで出会った難民の多くが、シリア問題の根本的解決法は〝アサド大統領の死〟だと信じていた。しかし、その後のシリアが具体的にどう変わるべきなのかという明確なビジョンは持っていなかった。アサド政権の何が問題だったのかを問うと、賄賂社会、警察の腐敗、選挙の不正、言論の自由の抑圧が指摘される。だが、〝それらを払拭した政権を〟というだけでは、曖昧な印象を受ける。

私はシリアの教育システムの問題も大きいのではないかと思っている。強権政治のもと、教育のあり方も政権にとって都合の良いものであったことは否めない。シリアの学校の朝礼では、大統領は英雄であり、国民は国に忠誠を誓わなければならないと毎日教えられてきた。シリア人は、この世界がどのような歴史を歩み、人々がそれぞれの土地でどのように抑圧と戦ってきたのか、また革命や自由、人権、民主主義などについて学ぶ機会がなかった。市民を懐柔させるためのこうした偏った教育システムは、政権側の思惑通り、人々が〝政治プロセスを具体的にイメージし、行動する力〟を奪った。

「絶対的に正しい」と刷り込まれてきた政権に反旗を翻したとき、どのように、どこへ向かって変化を起こしていくのか、という具体性を人々は持つことなく、多くがただ政権を否定し、「変化」を主張するにとどまったのだ。

さらに、世界中で同時に起こった技術革新の波がシリアにも押し寄せ、人々の生活観念を根本的に変えたことも、内戦の背景にある重要な要因といえる。

まず九〇年代中頃に、衛星放送がシリアに入ってきた。衛星放送は人々に、新しいメディアのあり方を意識させた。同じアラブ世界の中にも、アル・ジャジーラ（カタールに本拠地を置く衛星テレビ局）のように、政権に与《くみ》することなく、堂々と意見を語れる場があることを知ったのだ。

さらに九〇年代後半からインターネットが導入された。その使用は制限付きではあったが、人々は世界各国の情報を閲覧できる自由を得る。インターネットは、情報を得る場、というよりむしろ、情報や意見を発信できる場として使われていった。

さらに二〇〇五年から二〇〇七年にかけ、携帯電話が普及した。日常的なコミュニケーションを重視するシリア人にとり、携帯はなくてはならないものとなり、人々をつなぐ重要なツールとなっていった。

これらのテクノロジーの普及は、シリア人をグローバルな市場経済に飲み込んだ。それまで、わずかな現金収入があれば自活できた多くの人々が、物質的なものにとらわれ始め、より多くの現金を必要とし始めたのである。そうしたなかで人々は、〝技術革新の利便性を受け取るための〟十分なお金を持っていないことに不満を抱くようになった。折しも若者人口が増加し、失業率も上昇の一途をたどっていたなかで「アラブの春」が勃発する。これを契機として、長年の強権政治に不満をくすぶらせていた人々の心に、火が点いたのだ。

シリアの破壊者は誰なのか。最も大きな要因を作ったのはシリア政府であることに議論の余地はない。だが外部からの、どのような介入がシリアを破壊し、分断させたかについてはシリア人でも意見が分かれる。私たちはそれについて、政治、経済、宗教、その他の複雑な背景から、答えを導かなければならない。

例えば、パルミラでイスラム教の宗教指導者シェイフだったワッダーハ——私とラドワンの結婚式をとり行った——は、シリアの破壊者をイランとロシアだと考えている。これらの国々は、シリア政府への軍事協力を惜しまなかった。イランによる政権側への宗教的同調、経済利権を狙うロシアの介入が政権を強固にし、市民を殺傷し、平和を遠ざけたと。

一方、そのワッダーハのようなスンナ派のシェイフや、それを煽動したスンナ派のサウジアラビアが、シリアの破壊者だと考えるシリア人もいる。かつてのシリアには、スンナ派、アラウィ派というイスラム教の宗派間の区別が明確には存在しなかった。しかしサウジアラビアは、自らの影響力を強めるため、同じスンナ派のシェイフを反体制運動へと煽動し、さらに反体制派への武器の支援も行った。その結果、人々が大規模な武力行使に至ってしまった、という考えだ。

一方、政府側、反体制派のどちらか一方に非があるのではなく、歴史的に積み重なった様々な要因が絡み合い、問題が進行したと考える少数派もいる。

結局のところ、シリア内戦とは何かという問いは、どの見地からシリアを考えるかによる。そしてこうした立場の違いによる見識の隔たりが、解決の糸口を探るうえでの障壁になっている。

シリア難民の中には、この内戦を大国の「ビジネスの場」だと捉える者も少なくない。国外の様々な勢力が、様々な意図をもって介入したが、そのほとんどが政治利権、経済利権を念頭においてきた。難民への支援をとっても、各国政府機関や国連から莫大な額が拠出されているが、一方で大量の兵器が、ビジネスとしてシリア政府と反体制派勢力双方に提供・販売されている。こうした武力支援や兵器の販売は、それらが使用されることで、さらに難民が生まれる要因を間接的に生んでいる。大国や国際社会は、同じ土地の同じ人々に対して、一方の手で難民支援を行い、一方の手で難民を生むきっかけになるビジネスを行っているのだ。こうした矛盾から、私たちは目をそらすべきではない。

人間の土地

シリア人は内戦によって多くを失ったが、その最たるものは豊かな感情だとラドワンは語る。内戦前、シリア人は喜怒哀楽の表現に長《た》け、素朴で楽観的で、孤独や不安を感じることも少なかった。だが人々は、内戦で恐怖や絶望、悲しみを繰り返し経験した。結果、常に不安と孤独に襲われ、かつての感情の豊かさを失ってしまった。

ラドワンもそうだ。以前の彼は、ほんの数日間でさえパルミラを離れれば、家族が恋しくなり、再会すると涙を流したという。遠い親族であっても、誰かが亡くなると、家族全員が深い悲しみにくれた。別れや死、孤独は非日常であり、特別だったのだ。だが内戦後は、サーメル兄や甥のラドワン・ガッセンが行方不明となり、多くの友人を失くした。自ら難民となり、数年間にわたって家族にも会うことができなかった。今では親しかった仲間の死を聞いても、かつてのように涙を流すこともない。それは、多くのシリア人に共通する変化だとラドワンは言う。死や暴力、迫害や差別、裏切り、人間の表と裏、矛盾。シリア人はこの一〇年であらゆる負の側面を経験した。だから、それらを受け流すことを学ばなければ、現実の厳しさと狂気に耐えられなかったのだ。

だが時折、ラドワンはかつての感情豊かな彼自身に戻ることがあるという。パルミラでのたわいもない思い出、しかし今となっては二度と戻ることのできない日々を思い返したときだ。そのときラドワンは、心の中に確かに故郷を感じるのだ。

二〇二〇年八月、ラドワンが日本に来て六年半。時を経ることでラドワンも日本社会に溶け込みつつある。片言の日本語を話し、断片的にではあるが日本文化を理解し、日本人の友人もできた。二〇一八年からは独立し、中古自転車の輸出業を手がけている。

ラドワンはこの事業に「ピース・フォア・トレーディング」、〝貿易のための平和〟という名を付け、主に中古自転車を、ヨルダンやレバノンなどのアラブ諸国に輸出している。そこでは、同じく八王子市在住の二人のシリア人が、ラドワンの〝共同経営者〟として働いている。信頼できるコミュニティを自ら形成し、そこで働き、生きようとする姿は、かつてのパルミラでの暮らし、さらには、トルコ南部でのアブドュルラティーフ一家の姿に重なるものがある。

二〇一八年からラドワンが力を入れてきた活動がある。ヨルダン北部のザータリ難民キャンプに、中古自転車を送るというものだ。これらの自転車は、キャンプの居住者、つまりシリア難民のもとへと届けられ、安価で販売される。今日、多くのシリア難民がザータリ難民キャンプの広大な敷地内で自転車に乗っているが、そのほとんどが、ラドワンによって送られたものだ。自分の仕事がシリア難民の暮らしに役立てられる。そこにラドワンは働きがいを感じ、日本での自身の存在価値を見出すようになった。

〝シリアを離れても、シリア人とつながり続ける〟、それがラドワンの願いだ。

ラドワンは、働いて身をたて、経済的な安定を手に入れることをいつも熱く語っている。しかし、彼の働き方はあくまでシリア流だ。日本人のようにがむしゃらに働くことを良しとせず、心の余裕がもてる範囲で働くことを大切にする。そのため、彼の収入は非常に不安定だが、それは彼にとって大切なことではないのだ。

また、共働きの我が家にあって、ラドワンは家事も育児もノータッチで、それについて夫婦で協力するという発想すらない。私たちは幾度となく口論をした。だが、〝共働きだから夫も育児・家事に参加すべきだ〟というのは、考えてみれば、あくまで日本人の私の価値観なのだ。

私の側、つまり日本文化からラドワンについて考えるなら、彼はどこまでもマイペースで怠惰に見える。だが彼の側、つまりアラブ文化から私を考えるならどうだろう。

ラドワンが期待するのは、私がシリア人の妻のようであることだ。毎日外出することなく家にいて、丁寧に掃除、洗濯、育児をし、いつなんどき帰宅しようとも、すぐに美味しい食事を用意してくれること……。

一般的にシリア人の妻は、家庭のために生きる存在だ。子供たちにとっては最上の母であり、夫の良き理解者でもある。家事と育児を全面的に担い、家の隅々を完璧に掃除し、夫をたて、細やかな気配りをする。そして家族が喜ぶよう、丸一日かけて美味しい料理やお菓子を作る。家庭の外側から物質的な糧をもたらすのが夫ならば、妻の役割は家庭の内側から精神的な糧をもたらすことだ。〝女性の役割は家族を幸せにすること〟とアラブ社会で言われるように、家庭の幸せを、最も直接的な形で創造するのが妻たちなのだ。

かたや私は、ズボラで不器用、家事が苦手で料理もワンパターンだ。働きに出ると言って毎日家をあけ、そのくせ（私も！）十分な収入はなく、家の中は手入れが行き届かず、子供が生まれてからは特に強盗が押し入った直後のような状態だ。夫をたてることもあるが、持論を展開して衝突もする。つまり、私はシリア人の基準でいえば、完全にダメな妻なのだ。

こう考えてみると、それぞれの視点、価値観があることがわかる。自分の文化にのっとって相手を判断しようとするから、相手の本質を見誤ってしまうのだ。

特に日本人は、多様な文化を受け入れることに比較的寛容である一方で、他者が文化的、宗教的なこだわりを持っているということを、理解しにくい傾向があると感じる。〝郷に入れば郷に従え〟という言葉も私たちの価値観にすぎない。世界には、郷に入っても郷に従わないことを良しとする人々もいるのだ。ラドワンもその一人だ。アラブ社会では、必ずしも郷に従うことなく、どこであっても自らの文化に誇りを持って生きることが普通だ。

ラドワンと結婚し、子供を育てながら悟ったのは、人間に深く根づいた文化を変えることは容易ではないということだ。文化というものは、新しく創造する以上に、すでにあるものを継承する要素のほうがはるかに強い。つまり、ラドワンの基本的なスタンスは、ルーツであるシリアの沙漠の伝統から大きくは変わらない。秋の収穫のために春から農地を耕し、忍耐と地道な努力を尊重する農耕民的日本人の価値観と、〝今という瞬間を謳歌する〟ことに重点を置く遊牧民的アラブ人の価値観。両者の、その背景にある膨大な歴史の蓄積を考えるとき、そもそも数年、数十年で個人の内面を形づくる文化の軸を覆すことができるだろうか。土地から与えられる人間のルーツというものは、もっと根深いものではないだろうか。私はことあるごとに、ラドワンが〝沙漠の人〟だと捉えることで、悶々とした思いを払拭するに至った。民族的背景の違いを、相手の尊厳として認めることで、私たち夫婦は共生しようとしている。

かつてのシリアでも、歴史を通して多民族多宗教間の共生が図られてきた。今後は、内戦によって分断されたシリアの人々が、いかにつながり、共存していくかが課題となるだろう。人間によって分断されたのだから再び人間によって修復できるはずだ。それには、たとえ理解し合えなくてもお互いを認め合う〝緩やかな共存〟が鍵となる。

二〇〇八年、初めてパルミラを訪れた日のことが目に浮かぶ。かつてのパルミラには、豊かなナツメヤシのオアシスがあった。立ち並ぶ木々は太く高く、鬱蒼とした森のようだった。郊外の高台から一望した、その緑がなんと目に鮮やかだったことだろう。街の周囲にはオリーブやざくろの果樹園が数多くあり、広大な白い沙漠の中のその豊穣は、あたかも地上の楽園のようだった。

だが内戦によって人々の暮らしが失われると、パルミラの木々も次第に枯れていったそうだ。オアシスの水路を守り、水を引く人間がいなければ、木々もまた生きられなかったからだ。数千年も前からこの土地は、ナツメヤシの茂るオアシスとして記憶されてきたが、それは、この土地に脈々と続いた人間の暮らしがあったからなのだ。

二〇二〇年、現在のパルミラは、緑の輝くようなオアシスではない。戦闘によって焦土と化した市街地、そして破壊された遺跡がその傍らにひっそりと残る、荒れ果てた土地だ。シリア中部の戦略的拠点として政府軍が駐屯しているが、かつての六万人の住民はほとんどがこの地を去った。オアシスとしてのパルミラは、一度死んだのだ。

あれは二〇一五年一〇月のことだっただろうか。ＩＳによるパルミラの破壊を伝える報道を目にしたラドワンが、涙を流したことがある。

「自分はパルミラの水を飲んで育った。パルミラの全ての恵みが自分を作ってくれた。今、母親のように慕っている故郷が破壊されてゆくのに、自分は何もできずにいる」

このとき私は、ある光景を思い出した。内戦が始まる一年前、二〇一〇年のことだ。ラドワンと私は、ラドワンの兄アーメルが運転する車に乗り、ダマスカスからパルミラを目指していた。車窓には、行けども行けども沙漠が見える。ラドワンは窓を開けると、深呼吸をした。

「アー、沙漠の匂いだ……。なんていい匂いなんだ。僕の故郷の匂いだよ」

そう言って幸せそうに外を眺めていた彼の横顔が、今も脳裏に焼き付いている。このとき私は確信した。ラドワンが心からこの土地を愛していること。そして、彼が沙漠を離れることはないだろう、と。彼もそう信じて疑わなかったろう。そのわずか数年後、全てが失われることなど、知る由《よし》もなく――。

かつてのパルミラは、今や思い出の彼方にのみ存在している。だが、その幸福な故郷の記憶が、今も、そしてこれからも、ラドワンに生きる力を与えてくれる。

記憶は、身体のどこか奥深くにあって呼吸をしている。そしてふとした瞬間、ふとした糸口から蘇り、ささやきかける。私にとっては、かつて身を焦がしたヒマラヤでの記憶がそうだ――。

紺色の、乾いたヒマラヤの空。私は酸素の薄い空気を吸い込み、白い雪の上を歩き続ける。自分の足音と、呼吸音だけが聞こえる。巨大な山の、非情さと美とが交錯する世界。

――K2の八二〇〇メートル地点。頭上に玉のように輝く星々を仰ぎながら、私は凍った雪の斜面で朝が来るのを待っていた。強烈な疲労と耐えがたい眠気が身体を襲う。静寂と、寒気、そして夜の闇。自分が生と死の分岐点に立っていることを実感するあの感覚。やがて、どこからか光が現れて頰を撫でた。太陽の光だ。この美しい世界に還りたい。私は心から願った。あのビバークの一夜が、今や私のかけがえのない原点として、私を導いている。

ヒマラヤの山々は、私に〝命が存在することの無条件の価値〟を気づかせてくれた。人間がただ淡々とそこに生きている。その姿こそが尊い。

私はその姿を追い求めていこう。

シリアの沙漠にあって幸福な日々を生きた人々のなかに。

激動の内戦に翻弄され、異国の地に生きようとする人々のなかに。

そして、夫ラドワンや、二人の息子たち、私自身のなかに。

私は歩き続ける。
ヒマラヤから沙漠へ。
難民の土地へ。
そしてまだ見ぬ、人間の土地へ。

あとがき

アブドュルラティーフ一家には三人のサーメルがいる。二〇一二年五月にシリアで逮捕され、行方が知れないラドワンの兄サーメル、そして、そのサーメルの名をもらった二人の子供たち。私とラドワンの息子、四歳のサーメルもその一人だ。

行方不明とされてきたラドワンの兄サーメルは、現在、ダマスカス郊外のサイドナーヤ政治犯収容刑務所に収監されているとされる。真偽は定かではないが、二〇一三年、二〇一六年、二〇一九年の三回にわたり、この刑務所から出所した別々の知人からの情報があった。サーメルらしき人物が、男たちが大人数で収監されている一室にいるのを目撃したという。

同刑務所では、二〇一一年から二〇一五年にかけて毎週絞首刑が執行されており、推計で五〇〇〇人から一万三〇〇〇人が処刑されている（アムネスティ・インターナショナル　二〇一七年二月）。非人道的な拷問や殺戮行為が行われていることで知られ、勾留者の七割が生きて還れないと噂される。

こうしたなかでアブドゥルラティーフ一家は、サーメルの行方を探し続けており、生存確認のためにあらゆることを試みてきた。「保釈金を用意すれば、釈放の手助けができる」という、身元の知れない男の話を信じ、これまで一度ならず三度も詐欺被害に遭った。それでも一家はサーメルがきっと生きて戻ることを信じ、その日を待ち続けている。

サーメルの息子ジョワードは九歳になった。父の逮捕時、彼は一歳に満たず、父の記憶はない。母親は彼に、父親が外国へ長い仕事に行っているのだと話し、ジョワードはずっとそう信じていた。しかし成長するにつれ、ジョワードは本当は自分に父親がいないのではと疑うようになり、二〇一九年、母親は全てを打ち明けた。いつかサーメルが釈放されて自由を手にする日が来たなら、彼は知るだろう。父親の顔さえ知らない彼の息子ジョワードが、父親を慕って待ち続けてきたことを。

二〇二〇年八月現在、シリア情勢は依然、混迷が続いている。二〇一四年頃からシリア北部を短期間で掌握し、国内を恐怖に陥れたＩＳも、政府軍、米軍の協力を得たシリア民主軍などによりイラク方面へと駆逐された。ＩＳの首都だった北部のラッカは、国家樹立を目指すクルド人勢力が占領し、それを警戒するトルコ軍が北部のアレッポ周辺で占領を続けている。反体制派最後の拠点とされるシリア北西部のイドリブでは戦闘が続いているが、ロシアやイランの軍事援助を受けたアサド政権の圧倒的軍事力の前に、なす術がない状況だ。二〇二〇年三月からは、全世界を混乱の渦に巻き込んだ新型コロナウイルスが、新たな脅威としてシリア国内にも押し寄せ、避難生活を送る人々をさらに圧迫している。

シリアは今後、どのような歴史をたどっていくのだろう。この内戦も、やがて繁栄と離散とを繰り返してきたこの土地の歴史の一幕となるのだろうか。しかし、たとえ国が滅びようとも、人間の血は脈々と受け継がれていくだろう。

この本は、シリアというある土地をめぐる物語。そして、私と夫の物語でもある。私はこの本を、今はまだ小さな二人の子供たち、サーメルとサラームに残したい。父と母がどこからやってきたのか、どのように出会い、どのような道のりを経て二人が生まれたのか。この世には、光ることのない多くの星があり、語られることのない多くの物語があること。その思いの全てを、この一冊に込めた。

筆を執り始めてから、この本を書き上げるまでに実に三年の歳月がかかった。生活が困窮したり、次男サラームが生まれたり、取材に行ったりするたびに筆は止まり、シリア情勢は移ろった。しかし結果的に、時間がかかったことで内容がはるかに深まった。この本の発起人である地平線会議世話人の江本嘉伸さん、そして、のらりくらりとした執筆ペースに根気強く寄り添い、原稿を磨き上げてくださった集英社インターナショナルの田中伊織さんに心からの謝辞を申し上げたい。どうもありがとうございました。また、この本を執筆するにあたり、多くの友人が子供の子守に協力してくれました。その助けがどんなにありがたかったことでしょう。こうして本が書き上げられたのは、皆さんのお陰です。ありがとう。最後に、戸惑いながらも私の破天荒な生き方を認め、見守ってくれている秋田の両親、そして夫ラドワンへ、尽きることのない感謝の気持ちを伝えたい。〝人間の土地へ〟私もまた歩き続けます。

二〇二〇年八月　蟬がよく鳴く日に

小松由佳

［参考文献］

『シリア・レバノンを知るための64章』 黒木英充（編著） 明石書店
『シリアからの叫び』 ジャニーン・ディ・ジョヴァンニ 著 古屋美登里 訳 亜紀書房
『シリア難民』 パトリック・キングズレー 著 藤原朝子 訳 ダイヤモンド社
『シリア獄中獄外』 ヤシーン・ハージュ・サーレハ 著 岡崎弘樹 訳 みすず書房

小松由佳

（こまつ・ゆか）


フォトグラファー。1982年、秋田県生まれ。高校時代から登山に魅せられ、国内外の山に登る。

2006年、世界第2位の高峰K2（8611m／パキスタン）に、日本人女性として初めて登頂（女性としては世界で8人目）。植村直己冒険賞受賞、秋田県民栄誉章受章。草原や沙漠など自然と共に生きる人間の暮らしに惹かれ、旅をするなかで知り合ったシリア人男性と結婚。

2012年からシリア内戦・難民をテーマに撮影を続ける。

著書に『オリーブの丘へ続くシリアの小道で　ふるさとを失った難民たちの日々』（河出書房新社）がある。

人間《にんげん》の土地《とち》へ

二〇二〇年 九 月三〇日 第一刷発行
二〇二〇年一二月二九日 第三刷発行

著者 小松由佳《こまつゆか》
発行者 岩瀬 朗
発行所 株式会社 集英社インターナショナル
〒一〇一-〇〇六四 東京都千代田区神田猿楽町一-五-一八
電話 〇三-五二一一-二六三〇
発売所 株式会社 集英社
〒一〇一-八〇五〇 東京都千代田区一ツ橋二-五-一〇
電話 〇三-三二三〇-六〇八〇（読者係）
〇三-三二三〇-六三九三（販売部）書店専用
印刷所 凸版印刷株式会社
製本所 ナショナル製本協同組合

ISBN978-4-7976-7389-0 C0095